Mujeres asesinas
Los nuevos casos

MARISA GRINSTEIN

Mujeres asesinas
Los nuevos casos

EDITORIAL SUDAMERICANA
BUENOS AIRES

Grinstein, Marisa
Mujeres asesinas

256 p. ; 22x14 cm. (Obras diversas)

ISBN 950-07-2757-9

1. Narrativa Argentina I. Título
CDD A863.

IMPRESO EN LA ARGENTINA

*Queda hecho el depósito
que previene la ley 11.723.*
© 2011, *Editorial Sudamericana S.A.*®
Humberto I 531, Buenos Aires.

www.edsudamericana.com.ar

ISBN 10: 950-07-2757-9
ISBN 13: 978-950-07-2757-0

ÍNDICE

Gloria B., despiadada 9

Isabel L., enfermera 25

Ramona Z., justiciera 41

Rosa K., diabólica 55

Cándida R., la mujer del ferretero 77

Laura M., pirata del asfalto 93

Nélida B., tóxica 113

Dolores U., poseída 135

Irma M., experta en peces 153

Lucía S., memoriosa 167

Mercedes G., virgen 185

Ana L., sadomasoquista 201

Elvira R., madre abnegada 215

Mónica D., acorralada 231

Gloria B.,

despiadada

En los dibujos que tenía que hacer en la escuela, Gloria B. repetía siempre la misma imagen: una nena con dos piernas muy flacas que caminaba arrastrando una bolsa enorme de color negro. Al lado aparecía otra nena más gorda con dos lágrimas desproporcionadas, pintadas de rojo. Cuando le pedían que explicara el dibujo, Gloria miraba con gesto contrariado, como si le resultara absurdo comentar algo tan evidente: "La nena soy yo, cuando papá nos echó de casa. Y la otra es mamá, el mismo día".

Estaba hablando del momento que recordaría toda la vida: cuando su padre le dijo a su madre, con absoluta calma, que juntara sus cosas y las de la hija y le dejaran la casa vacía. Él se casaría con una antigua novia del barrio.

Con el tiempo, la madre tuvo que explicarle a Gloria que su padre se había casado con otra mujer porque nunca se había querido casar con ella. Sin pensar ni por un minuto en el efecto que sus relatos producirían en su hija, Elisa, la madre —una señora rolliza y resentida—, pasaba larguísimas tardes contándole a Gloria las maldades de su padre, su egoísmo y las desgracias que había depositado sobre las dos. "Nos arruinó. Nos dejó en la calle porque nos odia, y preferiría que estuviéramos muertas", le decía, mirándola fijo para estar segura de que la hija registraba cada uno de sus dichos.

Como era previsible, la idea que se formó Gloria sobre los hombres no era la más adecuada para formar una familia feliz. A los trece años tuvo su primer novio, un adolescente peleador y mentiroso, con el que inauguró una seguidilla de relaciones conflictivas. A los diecinueve se casó con un hombre insignificante al que no tomaba en serio y engañaba por puro aburrimiento.

Trabajaba de camarera en un bar y a veces recibía unos pesos adicionales de algún cliente al que acompañaba a un hotel. Con sus amigas —pocas— bromeaba acerca de su actividad complementaria. "Me gusta más coger con alguien que me paga que coger gratis con el pelotudo de mi marido".

Su marido, un jardinero haragán y ventajero, era impermeable a los maltratos y engaños de su mujer. Él también tenía amantes y lo único que quería en la vida era ganarse unos pesos para ir al hipódromo, salir de noche con alguna de sus chicas y que lo dejaran dormir tranquilo hasta las dos de la tarde.

Gloria veía a Elisa, su madre, una vez por semana. Le alquilaba una casa miserable en su mismo barrio y le daba dinero para vivir. Con los años Elisa siguió engordando hasta convertirse en una mujer increíblemente obesa que casi ni se levantaba de su sillón. No había tenido otros hombres y rumiaba un rencor eterno contra el marido que la había abandonado. Gloria, por su parte, también odiaba a su padre, pero más odiaba a Elisa. Cada vez que la veía sentía el mismo rechazo visceral hacia esa mujer que no había sabido defenderse ni defenderla de la crueldad del padre. Le recriminaba también no haberle disfrazado la realidad. "¿Para qué me contabas todo desde que era tan nena? Eso es ser hija de puta. Con no decirme que papá nos odiaba habría alcanzado", le decía, mientras examinaba, de lejos y con asco, los incontables rollos de la panza materna.

Gloria era lo opuesto a Elisa: flaca, activa, preocupada por su cuerpo, audaz con los hombres. No podía explicarse cómo fue que su madre había aceptado con tal pasividad la afrenta de su marido.

La venganza de Gloria contra Elisa consistía en darle menos dinero que el necesario para pagar sus cuentas y para vivir. De hecho, las penurias económicas de su madre la llenaban de satisfacción. Pero había algo más: Gloria se encargaba de atiborrar la alacena de su madre con productos baratos y engordantes. La obesidad de Elisa era un motivo de orgullo para su flanco más perverso: con Mónica, su amiga de la infancia, y algunas otras conocidas del barrio, hacían apuestas por el peso probable de Elisa. Gloria solía ser la campeona absoluta en el juego cruel. "A la vieja hija de puta la voy a matar de gorda, nomás", contaba Gloria entre carcajadas mientras las demás, con respeto, le festejaban la gracia.

Gloria conoció a Ubaldo en el bar donde trabajaba. Le sirvió un licor de chocolate y se quedó por ahí cerca con la obvia intención de seducirlo. Le gustaba ese hombre alto, morocho, de rulos despeinados y cara de boxeador. A Ubaldo le entusiasmaba que una mujer medianamente atractiva se le ofreciera sin ningún disimulo. Le preguntó si podían salir juntos algún día, y ella le dijo que esa misma noche podían verse en cuanto cerraran el bar. Ubaldo dudó: su mujer lo esperaba en casa con sus dos hijas. Pero mientras pensaba si tenía que aceptar la propuesta o dejar todo para otro día, Gloria decidió por él. Arregló con el encargado del bar para irse un rato antes y, en cuanto Ubaldo le pidió otro licor de chocolate, ella abrevió el trámite. "Te traigo la cuenta y nos vamos".

Empezaron a besarse en la vereda y terminaron en un hotel de mala muerte llamado Íntimo.

La mujer de Ubaldo, Elba, había hecho dormir a las hijas y estaba en su cama durmiendo. La casa, en las afueras de La Plata, era sencilla pero agradable. Elba, iluminada por la luz débil del televisor, no sabía que en ese mismo momento su futuro se estaba torciendo de la peor manera.

La relación entre Gloria y Ubaldo fue vertiginosa. Ubaldo jamás había tenido una amante y estaba acostumbrado a la quietud anodina de su matrimonio. Sus once años de casado lo habían anestesiado: sabía de memoria qué gusto tendrían las milanesas con puré de su mujer, cuál vestido se pondría para ir al cine y qué le haría —o se dejaría hacer— en la cama previsible. Quería a su esposa y le estaba agradecido por las dos hijas que habían tenido, pero a la vez sufría, de forma solapada, por una permanente falta de alegría.

Gloria, que tenía un talento innato para detectar las carencias ajenas, advirtió desde un principio el talón de Aquiles en el matrimonio de Ubaldo. Una vez detectada la falla, actuó con maestría. Lograr que Ubaldo se separase de su mujer no podía ser más sencillo: tenía que poner mucha imaginación en el sexo, mucho interés a la hora de escuchar sus opiniones y mucho entusiasmo para organizar programas divertidos.

14

Gloria, por primera vez, estaba empeñada en irse a vivir con un hombre. Su marido jardinero ni siquiera le parecía un obstáculo a superar: en su momento ya vería la forma de separarse.

"Quiero irme a vivir con Ubaldo", les anunciaba a sus amigas, que ni se molestaban en entender las causas del capricho de Gloria. Pero fue ella misma quien una tarde aclaró dudas: su amante le gustaba, era trabajador, tenía una buena casa y era casado. "Está bueno que se separen por una", les dijo.

El empeño de Gloria dio resultados rápidos. Ubaldo se desesperaba por estar con ella y vivía su matrimonio como una carga lamentable.

Elba no entendía qué estaba pasando en su vida. Su marido había cambiado de una semana para la otra. Ya no jugaba con las hijas ni quería estar en su casa ni la miraba ni le hablaba.

Ubaldo veía sufrir a su mujer pero no se sentía culpable: se había convencido a sí mismo —a través de un nada sutil trabajo de Gloria— de que Elba era la responsable de su década de matrimonio desdichado, y su consiguiente infelicidad personal. "Te arruinó los mejores años de tu vida", le decía Gloria, con dramatismo fingido. "Tenés treinta y ocho y parecés de cincuenta", le exageraba. "La vida se va volando, hay que vivirla cuando uno todavía puede", lo aleccionaba, mirándolo a los ojos en una perfecta representación de amor incontenible.

Ubaldo terminaba cada día su trabajo como maestro mayor de obras y se encontraba con Gloria en un hotel. A veces, Gloria aparecía al mediodía, a la hora del almuerzo, y le pedía que anticiparan el encuentro. A la noche Gloria iba al bar a trabajar y Ubaldo a su casa. Gloria seguía consiguiendo dinero extra mediante sus citas clandestinas, aunque Ubaldo se negaba a ver la realidad de las cosas. También seguía casada, pero su esposo era casi un detalle menor en su vida. Sin embargo, Gloria usaba ambos argumentos —el marido y el trabajo en el bar aunque, en su versión oficial, desprovista de horas extras— para apretar a Ubaldo. Llorando le explicaba que el amor que sentía por él era tan profundo que le impedía seguir viviendo con otro hombre y trabajando en un bar "donde te miran el culo y las tetas". Por supuesto, estas escenas ejercían una influencia siniestra en el ánimo de Ubaldo, que como contrapartida maltrataba a su mujer e ignoraba a sus hijas.

Cinco meses más tarde, Ubaldo le anunció a Elba que se quería separar. Y que, puesto que la casa la había comprado él con su trabajo, le correspondía a ella irse a vivir a otro lugar. Ya tenía todo pensado: le sugirió que se mudara a la casa de su tía soltera, que vivía también en la periferia de La Plata. Elba, que ya intuía que su matrimonio estaba en ruinas, lloró y suplicó, pero no hubo manera. Al día siguiente estaba instalada con sus hijas en la casa de su tía Zulmita. Y dos días después llegaba Gloria con su bolso a vivir con Ubaldo.

Cuando Gloria supo que Ubaldo había echado a su mujer de su casa, armó un festejo íntimo en el hotel donde se encontraban siempre. Llevó comida de una rotisería y dos botellas de champagne. Sin embargo, su sensación era ambigua. Por un lado tenía encima la euforia de los ganadores, pero por el otro empezó a evaluar a Ubaldo desde otro punto de vista. Al fin y al cabo su amante no había tenido el menor reparo en dejar en la calle a su mujer y a sus hijas. La asociación negativa era obvia: Ubaldo estaba haciendo con su familia lo mismo que su padre había hecho con su madre y con ella. Como esta vez Gloria no estaba en el lugar de la víctima, prevaleció en su cabeza el espíritu ganador. Además, el hecho de que ella había sido la instigadora de ese abandono, era un dato que estaba fuera de su razonamiento.

La convivencia de la pareja en la casa de Ubaldo fue lamentable. No pasó ni una semana antes de que estallara la primera pelea. Gloria quería volver a trabajar pero Ubaldo, razonablemente, desconfiaba. ¿Cómo era posible que la aceptaran de nuevo si ella —tal como le había dicho— había renunciado hacía un par de días? Lo que pasaba en realidad era que Gloria, que sí había renunciado a su trabajo de camarera, quería volver como "chica de alterne", lo cual ya había sido convenido oportunamente con sus jefes. Es decir, iría a seducir a los clientes y los llevaría a un hotel a la salida del bar. Haría, entonces, lo mismo que hacía antes pero sin servir mesas.

Gloria le dijo a Ubaldo que había arreglado unas suplencias para cubrir a alguna de sus compañeras en sus días libres. Él fue inflexible, y Gloria se quedó en la casa, enojadísima, mirando televisión y comiendo maníes. Pero por primera vez se habían gritado, y Gloria había tirado una botella de cerveza contra la pared del dormitorio.

Cada vez que volvía a su casa, Ubaldo se encontraba con su ex amante ocupando el lugar de su esposa. La diferencia es que ya no estaba la comida preparada ni la casa ordenada ni la ropa limpia. Y las ventajas de Gloria que lo habían impulsado a elegirla como su nueva mujer, estaban diluyéndose a una velocidad extraordinaria. Ya no le preguntaba por su trabajo ni por su vida, ni lo escuchaba con atención cada vez que hablaba ni le festejaba los chistes ni lo recibía con ropa sensual y maquillaje. Conservaba, eso

17

sí, un interés notable en materia sexual, pero ponía menos dedicación que antes en armarle cada noche un show erótico.

Elba, por su parte, ni siquiera se dignaba a llamar a su ex. Las dos hijas (Laurita, de cuatro años, y Daniela, de dos) se estaban adaptando a la nueva vida en casa de la tía. Tenían habitaciones más grandes y un jardín arbolado para jugar. A su padre apenas lo extrañaban porque aun cuando vivían en la misma casa lo veían poco y estaban todo el día con Elba.

Ubaldo dejó pasar un par de semanas y apareció para visitar a su familia. Elba lo recibió sin muestras de rencor ni de alegría. Le abrió la puerta y volvió a la cocina donde estaba preparando la cena. El olor familiar de la comida le hizo tomar conciencia de la separación por primera vez. Se preguntó por qué había dejado todo y no supo contestarse.

Cuando volvió a su casa encontró a Gloria en el living tomando ginebra, fumando y mirando unas revistas. Furioso consigo mismo pasó de largo, sin saludarla. Pensó que una vida basada exclusivamente en la pasión no compensaba todo lo que él había dejado de lado.

Entró a su dormitorio y se sacó la ropa mientras fijaba la vista en la gran mancha amarilla que había dejado la botella de cerveza estrellada contra la pared. Se metió en la ducha, sintiéndose un imbécil.

Un mes después Ubaldo ya había convencido a Elba para volver a la casa. La veía día por medio, le llevaba dinero, comida y flores. Comenzó a pensar entonces de qué manera decirle a Gloria que se fuera. Y así como antes había empezado a ver a Elba como la responsable de su desdicha, con lo cual lo lógico era sacarla del medio, ahora estaba convencido de que Gloria le había arruinado la vida. Los dos razonamientos falaces conducían al mismo lugar: Ubaldo era el hombre bueno al que los demás (las mujeres) obligaban a ser duro y poco considerado.

En un principio, Gloria no advirtió que su nueva convivencia se desmoronaba. Estaba acostumbrada al caos familiar y a las relaciones afectivas inestables, por lo que las peleas y gritos con Ubaldo le parecían perfectamente normales.

Había vuelto al bar (iba a la tarde, cuando Ubaldo estaba en su trabajo), veía a sus amigas y visitaba cada semana a su madre, para pasarle unos pocos pesos, atiborrarla de fideos y facturas y divertirse con su debacle física imparable.

A su ex marido lo había borrado del mapa, y estaba empezando a verse con cierta frecuencia con un antiguo cliente.

Sin embargo, se aburría. De noche pedía comida en una rotisería y trataba de pasar las horas muertas discutiendo con Ubaldo, que llegaba a la casa más y más taciturno.

Una mañana vio que él preparaba un bolso y guardaba ahí todas sus camisas sucias. Ni siquiera tuvo que preguntarle adónde las llevaba porque supo, sin ninguna duda, que estaba viendo otra vez a su ex esposa.

A los gritos, le preguntó si llevaba la ropa para que Elba la lavara, e intentó arrancarle el bolso de las manos. Él contestó que llevaba todo a un lavadero y salió. Pero volvió sobre sus pasos y le dijo que sí, que iba a llevar la ropa para que la lavara su mujer porque de ella, de Gloria, no podía esperar nada.

Lo que siguió fue una semana de horror. Gloria ya no salía de la casa por miedo a que Ubaldo cambiara la cerradura y la dejara afuera. Intentaba ser amable y seductora con él, pero todo era inútil: Ubaldo empezaba ignorándola y terminaba diciéndole que había sido una desgracia en su vida. Gloria pasaba entonces de la amabilidad al resentimiento y se lanzaba a una actuación reiterativa de gritos y objetos estrellados contra las paredes. Lo único que sobrevivía en esa pareja era el sexo, que para ellos se había transformado en un trámite violento, donde descargaban la rabia que cada uno sentía por el otro.

Mientras tanto, Ubaldo iba cada tarde a visitar a su ex mujer y a sus hijas. A Elba le pedía perdón y le rogaba, casi llorando, que volviera a su casa. Ella había empezado a ceder, y además de lavarle de nuevo su ropa, lo recibía en su cama. Así las cosas, poco tiempo después, Ubaldo entró a su casa, se acercó a Gloria, que estaba en la cocina sirviéndose un café, y le dijo que al día siguiente tenía que irse para siempre.

Él ya estaba preparado para una escena de escándalo pero Gloria no era tan previsible. Además, la actitud de Ubaldo no la tomaba por sorpresa. En los últimos días había estado rumiando la situación con un odio creciente. "¿Vos sabés cómo soy yo? ¿Tenés alguna idea?", le dijo, mientras iba al dormitorio a buscar sus cosas. Armó un bolso, guardó lo primero que encontró y se fue esa misma noche. Antes de irse lo miró: "Sabés que voy a volver, ¿no?". Fue lo último que le dijo.

Al día siguiente, a la mañana, Ubaldo buscó a su familia y la llevó de vuelta a la casa.

La reconstrucción de la familia no fue un problema para Elba y Ubaldo. Si Elba sentía que su marido la había tratado como un elemento descartable, no se lo dijo nunca a nadie. Volvió a su rutina doméstica con el mismo empeño y la misma actitud sacrificada que antes del capítulo Gloria. Y Ubaldo sintió que se había salvado del abismo pero que, al fin y al cabo, tampoco había pasado nada demasiado grave. Había podido vivir su doble experiencia de hombre infiel y de hombre separado, y ahora todo estaba otra vez en su sitio. Tenía muy presente el contraste entre la paz hogareña que le proporcionaba Elba y el caos ingobernable de Gloria. Prefería a su esposa, a quien empezaba a revalorizar.

Gloria había vuelto con su ex marido, que la aceptó de regreso sin asombro: sabía que muy difícilmente un hombre trabajador y sencillo, como lo era Ubaldo (a quien conocía del barrio), iba a quedarse mucho tiempo con una mujer como Gloria. Eso sí: Gloria tuvo que pagar una especie de peaje para reacomodarse en su casa, y aceptó saldar buena parte de las deudas de juego que su marido había acumulado.

Gloria dejó pasar una semana y después llamó a Ubaldo al trabajo. Él ni siquiera la atendió. Al otro día fue a buscarlo a la salida y trató de convencerlo, sin éxito, de encontrarse de nuevo en el hotel que frecuentaban. La última negativa fue crucial: decidió entonces que no haría nada más para recuperar al hombre que la había abandonado.

Fue a visitar a su madre y le hizo un largo interrogatorio acerca de cómo había sido el momento en que su padre la echó de la casa. Aunque ya sabía de memoria casi todas las respuestas, no podía creer que a ella le hubiera pasado lo mismo casi treinta años más tarde. Miró a su madre desconcertada, como si la viera por primera vez en mucho tiempo: la vio más gorda, más vieja, más atormentada por lo que era su vida y supo que era muy fácil terminar como ella. Pensó que con una coincidencia era suficiente: podrían abandonarla y echarla de la casa, pero no iban a poder convertirla en una versión moderna de esa esposa deforme y derrotada.

Miró la hora y vio que tenía tiempo suficiente. Ubaldo no volvería a su casa hasta bien entrada la tarde. Fue a la cocina, eligió un cuchillo tramontina y salió a ver a Elba.

Tocó el timbre de la casa de Ubaldo a las dos de la tarde. Era septiembre pero hacía un frío invernal. Elba abrió la puerta y se quedó mirando a la mujer que estaba parada en la vereda con un tapado de paño negro y el pelo suelto y oscuro. Gloria a su vez miró a la mujer por la que Ubaldo la había desplazado: gordita, sin forma, petisa, con el pelo atado y dientes torcidos. No era fea: era insignificante. "Vine a buscar unas cosas que dejé en la casa", dijo Gloria a modo de presentación. Elba podía no haberle abierto la puerta, pero actuaba poseída por la fascinación de ver por primera vez a la amante de su marido. Sin dejar de mirarla la hizo pasar y le dijo que había juntado sus cosas en una bolsa.

Gloria se sentó en un sillón del living y fue al grano con una mentira: le contó que había vuelto a verse con Ubaldo y que, por el bien de las dos, lo mejor sería que ella se llevara a las hijas y desapareciera. Elba no dio lugar a la negociación: le dijo que agarrara la bolsa con sus cosas y se fuera antes de que se despertaran las hijas. Por toda respuesta, Gloria prendió el televisor y se encendió un cigarrillo. Fue una provocación efectiva: Elba se abalanzó sobre la rival e intentó echarla a empujones. Pero Gloria se levantó de un salto y sacó su cuchillo tramontina. "Te voy a tajear esa cara de mierda que tenés", le gritó.

Asustada, Elba fue corriendo hacia un mueble grande y antiguo donde guardaba platos y cubiertos. Ahí habían escondido hacía tiempo un revólver que Ubaldo había comprado para defender la casa y que Gloria jamás había visto porque en ningún momento se le ocurrió revisar la vajilla del hogar. Elba agarró el revólver en el mismo instante en que llegaba Gloria empuñando el cuchillo con ferocidad. Forcejearon, y la furia de Gloria pudo más: le dio a Elba una puñalada en el pecho y otra en la espalda. El revólver cayó junto con Elba que, a pesar de las heridas, alargó la mano para recuperarlo. Gloria se lo arrebató y, calculando bien el sitio donde quería herir, le disparó en la ingle.

Elba, llorando, pidió por su vida y la de sus hijas. Gloria vio su oportunidad. Nunca explicó si ya tenía pensada su jugada o si se trató de una inspiración del momento, pero fue hasta una mesa que estaba cerca del televisor, sacó una hoja de una carpeta y una lapicera y se las dio a Elba. Apuntándole con el arma le dijo que le escribiera una carta al marido, explicando que se suicidaba porque no soportaba que le hubiera sido infiel. Elba intentó resistir pero no tuvo margen de maniobra: "O escribís o mato a tus hijas" fue la respuesta.

Elba trató de agarrar la lapicera pero el dolor la inmovilizaba. Gloria la ayudó a incorporarse y le puso la lapicera en la mano. Se sentó frente a ella y le sostuvo el brazo para facilitar la escritura. Le dictó: "Me mato porque me engañaste con otra mujer". Elba apenas podía escribir. Había perdido mucha sangre y estaba aterrada por sus hijas. Le pidió que las dejara salir a la calle pero ella fue inflexible. "Terminala. No les voy a hacer nada. Hacé la puta carta de una vez".

Cuando terminó de escribir Gloria se levantó, puso más fuerte el volumen del televisor, le apuntó a Elba y le disparó a la cabeza. Entonces fue al dormitorio de las hijas, que dormían. Primero se acercó a la cama de la más grande, la tapó con una frazada y le disparó. La más chica, al escuchar el tiro, se levantó e intentó correr, pero recibió un balazo en la espalda. La levantó del suelo y la dejó otra vez en su cama.

Cuando estaba caminando hacia la puerta, Gloria resbaló con el charco de sangre que rodeaba a Elba y se hizo un esguince en el tobillo izquierdo. Desde ahí, acostada en el piso, cara a cara con la adversaria muerta, sintió que había hecho justicia. "A mí no me iba a pasar lo que le pasó a mi mamá", contaría después a sus compañeras en la cárcel.

A Gloria B. la detuvieron seis días después del crimen. Se había ido de su casa y estaba viviendo en Ensenada con un nuevo amante. "Era lo que ella se merecía, morirse. Y lo de las chiquitas se lo dedico a él", le dijo al juez que la interrogó.

Fue declarada culpable por el homicidio de Elba F. y de su hija de cuatro años, y por lesiones graves a la hija menor, que sobrevivió. La condenaron a doce años de prisión. Le redujeron la pena por buena conducta y quedó en libertad en marzo de 1979.

Un año después fue a vivir con una nueva pareja con quien tuvo dos hijos.

Isabel L.,

enfermera

Hasta que conoció a Julián, Isabel L. nunca se había fijado en un hombre que no fuera su marido. No es que estuviera desesperada de amor. Creía, sencillamente, que el matrimonio era como una profesión: una vez que uno pasaba con éxito el trámite de estudiar, aprender y recibirse, había que seguir adelante hasta el final.

No la había pasado mal ni se había arrepentido de su decisión matrimonial. Tenía cuarenta y cinco años y llevaba veinte de casada con Raúl, un empleado administrativo que trabajaba en el Hospital de Clínicas, donde ella era enfermera.

Fue el típico romance de trabajo con final feliz. Primero se miraban por los pasillos, después charlaban y tomaban cafés recalentados, más tarde él la acompañaba a la parada del colectivo y un buen día estaban repartiendo invitaciones a la boda.

A los tres años de casados nació Daniel, el hijo único. Dos años después se mudaron a una casa de Avellaneda con patio y dos dormitorios, y para cuando llevaban diez años de convivencia eran una familia indestructible: veraneaban siempre en un hotel de San Bernardo, almorzaban casi todos los domingos en la casa del hermano de Raúl, recibían cada quince días a un grupo de amigos de trabajo y se defendían con uñas y dientes ante cualquier intriga laboral que pudiera gestarse en el hospital contra uno o el otro.

Isabel, además, trabajaba en una clínica privada que quedaba cerca de su casa y le permitía tener un ingreso extra que no compartía con su marido: ese dinero estaba destinado a algún gasto inesperado pero, sobre todo, a costear la educación del hijo o financiarle algún miniemprendimiento. "Esa plata no la toca nadie", repetía Isabel cuando Raúl o Daniel le insinuaban que podría usarse parte de ese fondo para arreglar la casa o ir de vacaciones.

Julián tenía veinticinco años cuando se topó con Isabel en un pasillo del hospital. Estaba haciendo su residencia y ya la había visto pasar varias veces. Les había preguntado a otros amigos por ella, pero no obtuvo mucha información: era enfermera, eficaz, simpática y casada. Sus compañeros la consideraban atractiva, pero no más que otras médicas y enfermeras.

A Julián le gustaban las mujeres mayores que él, y esta enfermera le gustaba especialmente: era rubia, de pelo corto, ojos marrones y caderas marcadas. Empezó a saludarla y a convidarle chocolates. Se había presentado como "Julián, un admirador de muchos años", mintiendo con descaro y sembrando dudas para facilitar la conquista. No la había visto nunca, pero ella se puso a pensar de dónde podía conocerlo y se convenció de que debía haber sido el familiar de algún paciente.

Una mañana Isabel descubrió que estaba frente al espejo de su baño maquillándose para ese chico de la guardia y no para su marido. Descubrió también que nunca se había puesto tan ansiosa por encontrarse con nadie como con ese compañero de trabajo. Se dio cuenta, con asombro, de que no se conocía a sí misma: apenas unos días antes ella podría haber jurado que nunca iba a pensar en otro hombre y mucho menos en alguien poco mayor que su hijo.

Julián no tardó nada en invitarla a comer. Ella aceptó, porque ni siquiera se le pasó por la cabeza decirle que no a quien se había convertido en el centro de su obsesión romántica. Pero Isabel era, todavía, una mujer práctica, y tomó precauciones para evitar cualquier rumor. Su marido no tenía exactamente el mismo horario que ella, pero coincidían durante tres horas. Y no estaban en el mismo piso, pero, como en todo trabajo, las noticias corrían sin ningún filtro.

Fueron a comer un martes de lluvia a un bar que quedaba a pocas cuadras del hospital. No era el bar que frecuentaban Isabel ni Raúl, pero aun así ella estaba inquieta. Había resuelto decirle a Julián que estaba casada y que vivía feliz y tranquila, pero una vez más se desconoció a sí misma. Mientras comía una tortilla de papas, se escuchó decir que estaba casada pero que no sabía bien qué hacer con su matrimonio desgastado. Le contó que llegaba a su casa y se sentía una extraña.

Mientras avanzaba en sus explicaciones sobre la soledad de su vida, tenía los ojos vidriosos y le temblaba la voz. No estaba actuando. Empezó a preguntarse si no sería que, de verdad, estaba siendo desdichada y recién se daba cuenta.

Julián la miraba de frente, sin bajar la vista. Le dijo que sería mejor que fueran a caminar, para que ella se calmara. En el camino se besaron y, antes de volver al hospital, se citaron para la mañana del jueves.

Isabel pasó esos dos días en un estado de nerviosismo ingobernable. Estaba ansiosa y desesperada, pero le parecía que esa sensación de nervios era mucho más interesante que la seguridad y la calma con las que siempre se había movido.

El jueves se encontraron en el mismo bar, pero Julián ya le había pedido a un amigo que le dejara libre el departamento por unas horas. Fueron. Él había tenido cantidades de amantes. Ella solamente había estado en una cama, con Raúl. Ninguno mencionó sus experiencias pasadas en ese momento, pero el desequilibrio estaba a la vista y jugó a favor de los dos. Julián estaba encantado de poder enseñarle técnicas eróticas a una mujer atractiva y mayor que él, y ella pudo confirmar lo que a veces sospechaba: que el sexo podía ser mucho más intenso y mejor que lo que había conocido.

Isabel imaginó que la vuelta al hogar sería más traumática, pero no fue así. Se adaptó a la novedad de la doble vida con una naturalidad sorprendente. En su casa hacía las mismas cosas, aunque, acaso, con mayor energía: la culpa la había vuelto más comprensiva con el hijo y más dedicada con el marido. Se sentía culpable pero no iba a renunciar a su amante por nada del mundo.

El marido, en tanto, no sospechaba nada. Veía a su mujer más contenta, aunque no se puso a pensar en motivos. El hijo estaba en otra: preparaba su ingreso a la facultad de Ingeniería y salía con su novia todas las noches.

Isabel se acostaba con su marido y tenía sexo con él. No aplicaba ninguna de las novedades que había aprendido por temor a alertarlo. Sin embargo tenía que poner más y más esfuerzo para fingir que todo estaba bien.

Cuando cumplieron cuatro meses de relación, Isabel empezó a pensar en su futuro con Julián. Al principio su única duda era si debía seguir con el amante por más o por menos tiempo, pero cuando el vínculo se afianzó, advirtió que había que considerar otras opciones. La que a ella le rondaba en la cabeza en todo momento era separarse de Raúl para irse a vivir con Julián. Sin embargo, en cuanto hacía un mínimo análisis sincero, desestimaba de plano esa posibilidad. La realidad era que le gustaba vivir con Raúl, lo quería y se sentía incapaz de darle semejante golpe. Tampoco quería dejar de ver a Julián, de quien se sentía "profundamente enamorada", según trataba de explicarle a la única persona a la que le contó su affaire, una compañera de trabajo a quien le decían Claudina.

Pensó entonces que lo mejor sería dejar pasar el tiempo para ver la actitud del propio Julián.

Julián, en tanto, alentaba las cosas. Y así como Isabel tenía dudas sobre el futuro de la pareja, él no tenía ninguna: estaba seguro de que esa relación era pasajera, pero quería sacar alguna tajada.

Julián no pensaba en ella para armar una pareja estable y armoniosa sino para tener una amante, alardear de su conquista y —lo más importante— conseguir dinero. De hecho, ya lo estaba consiguiendo. De una manera muy sutil se presentaba ante Isabel como el pobre muchacho que vivía en un departamento alquilado entre cinco compañeros (lo cual era cierto) y que tenía dificultades hasta para comprar un sándwich de mortadela (lo cual era falso). Isabel era maternal y odiaba que la gente que ella quería pasara dificultades. También era generosa. Julián se dio cuenta de las dos cosas y decidió que podrían jugarle a favor.

Poco a poco fue convenciéndola de que el tiempo que pasaban juntos no era suficiente. Le decía que tenían que verse más a menudo, aunque —se lamentaba él— no tenían un lugar adonde ir. Por supuesto, no podían pagar un hotel para cada día que se veían, y tenían que perder horas y horas en bares donde, además, podían encontrarse con algún conocido. Julián, entonces, se mordía los labios y se criticaba de manera impiadosa, preguntándose cómo a los veinticinco años no era capaz de conseguir un mísero departamentito donde pudieran estar juntos. Ya había especulado con la posibilidad de que Isabel alquilara uno para los dos, que él terminaría usando solo porque ella estaba casada. Sus cálculos no fallaron. Ella alquiló, a nombre de Julián, un departamento de dos ambientes en la zona del Abasto. El dinero lo sacó de los ahorros destinados a su hijo. Pensó que Daniel estaba bien encaminado en sus estudios y que sus necesidades económicas no eran inminentes. Se convenció de que en un tiempo prudencial podría recuperar cada centavo, y pagó todos los gastos.

Dos meses después de alquilar el departamento, la clínica privada donde trabajaba Isabel presentó un plan de retiros voluntarios para sus empleados. Isabel lo consideró seriamente. Ya no tenía tanto tiempo como para salir de un trabajo y meterse en el otro, además de atender a su familia. Ahora también estaba Julián. Hizo un par de cuentas y vio que, con su antigüedad en la empresa, podía recibir bastante dinero de golpe. Sin dudar y sin consultar, se anotó. Cobró, peso sobre peso, el equivalente a veintidós sueldos. Unos días después, depositaba el cheque en el banco.

Su marido, cuando se enteró, le dijo que se alegraba por ella: iba a poder llevar una vida un poco más descansada. Se asombró de que no le hubiera consultado nada antes de tomar la decisión, pero lo atribuyó al cansancio lógico de Isabel. Daniel, el hijo, también estuvo de acuerdo y le dijo que tendría que haber dejado ese trabajo hacía tiempo. A Julián le brillaron los ojos en cuanto supo el monto de la indemnización.

Mediante un trabajo muy sutil, Julián convenció a Isabel de las desventajas de desembolsar dinero para el pago del alquiler. "Es plata tirada", decía, con cara de profundo malestar. Y así fue que los dos se pusieron a buscar un departamento chico para comprar. Poco después, se decidieron por uno de un ambiente y medio en Almagro. Esta vez, Isabel gastó en la compra todo el dinero destinado a Daniel. También se dio cuenta de que jamás podría volver a reponerlo todo.

La culpa la mortificaba, pero no le impidió poner la propiedad a nombre de Julián. Todo lo que hacía por él le parecía poco. "Nunca sentí algo así por ningún hombre", le contaba a Claudina, su compañera, que sospechaba que ese residente joven, rubiecito y simpático escondía algo bajo la manga.

Isabel iba al departamento de Almagro todas las veces que podía, que no eran tantas. Durante esas visitas, Julián se portaba como el más feliz de los amantes. El resto del tiempo lo pasaba con su novia Paulita, con quien tenía pensado casarse seis meses después.

Isabel había pensado muchas veces que, como ella era casada y él soltero, lo normal sería que Julián tuviera una pareja que le diera la estabilidad que ella no podía darle.

Eso sin contar con los veinte años de diferencia de edad. Pero eran ideas abstractas. Porque, en concreto, Isabel pensaba y estaba convencida de que Julián le era fiel y seguiría siéndolo por mucho tiempo.

Es cierto que Isabel era crédula y un poco inocente, pero el verdadero motivo de esa ingenuidad era la actuación impecable de Julián. Representaba con maestría el papel de enamorado incondicional y sufriente.

Ésa fue la época más feliz en la vida de Isabel. Las cosas se habían acomodado. Su hogar estaba a salvo y su amante la quería de manera incondicional.

Isabel atendía su casa, estaba cómoda por la proximidad de Raúl ("mi gran amigo"), adoraba a Daniel y se hacía tiempo para ver a Julián y desarrollar la veta romántica que siempre le había faltado. Lo único que la mortificaba era que había gastado todo el dinero de su hijo para comprar el departamento de Almagro. Pero Daniel demostraba ser un chico independiente, emprendedor e inteligente: iba a poder arreglárselas solo, aunque a ella le hubiera gustado ayudarlo. La perturbaba también el hecho de que en algún momento su marido o su hijo le iban a preguntar por el dinero ahorrado durante veinte años.

Lo que tenía que pasar, pasó. Un día Isabel llegó al departamento de Almagro y no pudo abrir la puerta. Se fijó si había puesto la llave correcta, e intentó de nuevo. La puerta no abría. Tocó timbre pero Julián no estaba. Bajó a hablar con el portero para pedirle ayuda con la cerradura. Él la miró con curiosidad fingida y le dijo que lo mejor sería que esperase. "El chico del 4° C no está, pero en algún momento va a venir. ¿Usted es amiga de él o familiar?", le preguntó, conociendo la respuesta de antemano. Isabel negó con la cabeza y salió. Fue a tomar un café y a esperar. En el bar se sintió ridícula y molesta, pero no pensó que estuviera pasando nada grave.

Julián no volvió. Ella esperó dos horas, y en ese tiempo fue tres veces a tocarle el timbre.

Al día siguiente, muy angustiada, le contó el episodio a Claudina. "A mí no me preguntes porque yo siempre pienso lo peor", le dijo la amiga, como para sacársela de encima y no tener que decirle lo que pensaba de verdad.

Cuando Julián llegó al hospital, ni se acercó a saludar a Isabel. Fue ella quien tuvo que ir a buscarlo. Él estaba tomando café con otros residentes, hablando de un torneo de fútbol que estaban organizando. Todos se callaron cuando ella se paró al lado de Julián que, con absoluta calma, apenas interrumpió su relato deportivo para preguntarle si necesitaba algo. Los demás residentes, incómodos, miraron para otro lado. Era obvio que todos estaban al tanto del romance. Isabel sintió que le ardía la cara de vergüenza y sólo atinó a decir que le tenía que hacer una consulta pero que lo vería más tarde. "No, dale, decime", retrucó Julián. Isabel balbuceó una disculpa y dijo que hablarían después. Salió y fue al baño, donde se encerró a llorar.

Esa noche volvió a su casa destrozada. Su marido le preguntó qué le pasaba y ella, con la cara hinchada por el llanto, le dijo que no sabía, que debía ser algo hormonal. "Me debo estar volviendo menopáusica", le explicó, antes de irse a dormir.

Al día siguiente, se topó con Julián en un pasillo. Lo miró, resentida pero con la ilusión de que él le diera alguna explicación sobre el asunto. Le dijo que había ido al departamento, como habían convenido, pero que no pudo abrir la puerta. Julián fue directo. "Cambié la cerradura". Ella le preguntó, desencajada, si había pasado algo. "Me enamoré", fue la respuesta. "Estoy de novio y me voy a casar". Después le dijo que no pensara mal de él: "Con vos fue todo muy lindo, pero ya no daba para más". Y agregó que todo lo hacía por el bien de ella. "Es preferible terminar ahora que sufrir de a poco", remató.

Esa misma tarde, Isabel fue a un bar con Claudina. Le contó todo y volvió a llorar a mares. Lo primero que hizo la amiga fue preguntar por el departamento. "Él ya demostró que es una basura. Ahora tratá de ver si podés sacarlo de ahí lo antes posible".

Isabel ya había pensado en eso, pero no se animó a decirle a Claudina que el departamento estaba a nombre de Julián.

Isabel dejó de ir al hospital por una semana. Dio parte de enferma y se quedó en su casa, en la cama, evaluando su vida y la situación. Ni por un momento cayó en lo que ella había aprendido a odiar desde muy chica: la autocompasión. Más bien le dio rabia su estupidez, se odió y se sintió ridícula.

Su hijo Daniel le servía té caliente con tostadas para el desayuno, y jugos de fruta y caldos a la noche, cuando volvía de la facultad. Ella lo miraba y creía que nunca jamás iba a poder perdonarse el hecho de haber usado el dinero del hijo para conformar al amante. Pensó que todavía era posible que Julián, por una cuestión de orgullo, abandonase el departamento y le permitiera a ella ponerlo a su nombre. Pero en el fondo estaba segura de que eso no iba a pasar.

Raúl, su marido, estaba preocupado por ella. Le compraba jazmines en la calle y volvía rápido a la casa para cuidarla. Isabel hubiera preferido mil veces que el marido y el hijo la ignorasen, o que fueran desamorados y fríos. Pero esa dedicación para lograr que estuviera más animada la hacía sentir la peor de las mujeres.

Cuando estuvo mejor, volvió al trabajo. Ese mismo día buscó en la guardia a Julián. Pidió, humilde, un último encuentro. Él lo pensó. No estaba pasando el mejor momento con su novia y además estaba intrigado por la reacción de Isabel: él había calculado que lo iba a perseguir y que le haría un escándalo tras otro, pero nada de eso pasó.

Julián miró a Isabel para tratar de adivinar sus intenciones. La vio más flaca y ojerosa, pero no parecía angustiada ni vengativa. "¿Estás bien?", le preguntó. Ella dijo que sí, que inclusive estaba, en un punto, aliviada por haber terminado algo que no tenía ningún futuro. Julián le dijo que pasara esa tarde por el departamento. Ella no esperaba una respuesta tan rápida y le dijo que lo mejor sería arreglar para el día siguiente a la misma hora.

Ese martes Isabel se despidió de su familia preparándole un gran desayuno, como el que solía preparar cuando Daniel estaba en la escuela primaria. Hizo scons, sándwiches calientes, jugos y café. Daniel comió rápido y se levantó para irse, pero Isabel lo interceptó y le dio un abrazo. Ella tenía los ojos llenos de lágrimas pero se tapó la cara, inventando que le había entrado una basurita. Después se vistió, preparó su bolso con la ropa y fue al hospital. Ese día Raúl no trabajaba. Isabel se despidió con un beso, totalmente conmocionada. El marido advirtió que algo pasaba y le preguntó. Ella, que ya estaba en la puerta, no contestó. Volvió, le agarró la mano, le besó la palma y salió.

Ese día Isabel trabajó, charló con sus compañeras, hizo chistes y arregló el placard donde guardaba sus cosas. "Tengo que poner orden porque van a creer que soy una roñosa", le dijo, en broma, a Claudina. A las seis en punto, se maquilló, se cambió, armó el bolso y se fue a su cita.

Julián le abrió la puerta y la hizo pasar, ligeramente incómodo. Isabel entró. Había tomado dos tranquilizantes y estaba mareada y somnolienta. Julián la abrazó y la besó. Ella, que creía que había empezado a odiarlo, pensó que todo volvía para atrás: si en ese momento él le hubiera dicho que volvieran y que se quedaran viviendo juntos, es muy probable que ella hubiera aceptado.

Julián fue a preparar café y ella se quedó mirando el departamento. Se fijó que, contra una hilera de libros de anatomía, estaba apoyada una foto donde se veía a Julián abrazando a una chica de unos veinte años, morocha, de pelo corto.

Julián volvió con el café. Ella tomó el suyo y el de él, mientras se abrazaban y besaban en un sofá. Julián miró el reloj, inquieto, y dijo que tenía que salir. Ella le dijo lo que tenía pensado decir: que le devolviera el departamento, y que fueran juntos, cuanto antes, a ponerlo a su nombre en una escribanía.

Julián parecía estar esperando el pedido. Le contestó que no era posible nada de eso. "Mirá, el departamento me lo regalaste a mí", le dijo, agarrando las llaves para ir apurando la despedida. Isabel le explicó que el dinero era para el hijo, y que ella lo tenía que recuperar. Julián mostró su peor costado: "¿Y yo qué puedo hacer?".

Isabel no contestó. Julián estaba parado en la puerta con el abrigo puesto. Ella le dijo que quería despedirse de él. "Aunque sea, dejame despedirme", le suplicó, aliviada por saber que lo que estaba diciendo era una actuación y no una tremenda falta de dignidad.

Julián la miró con pena. Ella se acercó, lo abrazó y lo llevó al dormitorio. Lo desnudó y empezó a besarlo. Julián se dejó hacer. Isabel también se sacó la ropa.

Cuando terminaron, él le dijo que se apurara. "¿Tenés que ir a ver a tu novia?", preguntó Isabel. Julián estaba por mentir para aliviarle el momento, pero se arrepintió. Le dijo que sí, que iba a ver a su novia. Isabel lo encaró, casi suplicando: "Te digo por última vez, y pensá antes de contestar: ¿me vas a devolver el departamento?".

Ella sabía que le iba a decir que no. Acertó. "El departamento ahora es mío", le escuchó decir, como en un sueño.

Isabel buscó su bolso, que estaba en el sofá, y sacó un cuchillo que había llevado de su casa. Era el cuchillo que usaba su marido para hacer los asados del domingo. Miró a Julián, que estaba de espaldas, agachado, poniéndose los calzoncillos. Le dio una puñalada en el costado que lo hizo caer, con un grito de asombro. Le clavó el cuchillo de nuevo, esta vez en el pecho. Julián volvió a gritar y al final quedó tirado, boqueando, en medio de un charco de sangre que era absorbido por la alfombra verde. Isabel fue al baño, vomitó, volvió al dormitorio, se sentó al lado de Julián, y se clavó ella misma el cuchillo en el abdomen.

Unos vecinos que escucharon gritos alertaron a la policía. Cuando llegaron, Julián había muerto. Isabel estaba grave pero viva. Estuvo cuatro días inconsciente, en terapia intensiva. Cuando se despertó, vio que su marido la tenía de la mano. Se conocían tanto y tan bien, que Isabel pudo pedirle perdón con la mirada, sin decir una palabra.

Raúl le acarició la frente y se acercó a contestarle. "No te preocupes, ya pasó".

Isabel fue condenada a ocho años de prisión. Su marido y su hijo la visitaban todas las semanas en la cárcel de Ezeiza.

Cuando recuperó la libertad, los tres volvieron a vivir juntos.

Ramona Z.,
justiciera

Más de una hora estuvo Ramona Z. escondida debajo de su cama, hasta que escuchó los pasos de Mario saliendo de la cocina, el ruido de la puerta de calle y, después, el chirrido de las ruedas del auto que se alejaba a toda velocidad. Por las dudas, todavía se quedó unos minutos ahí, acostada en el piso, mirando el colchón que se hundía sobre ella. Al fin se convenció de que estaba sola. Temblando, se incorporó y caminó descalza por el pasillo hasta salir de la casa. Una vez afuera corrió en dirección a lo de su abuelo, sin llorar, sin pensar, sin gritar, respirando fuerte por la boca. A cada rato miraba hacia atrás, por si alguien la seguía.

En su casa, a pocos metros de la cama que le había servido de escondite, estaban los cadáveres de su madre, Iris, y Mabel, su hermana menor. Las dos habían sido apuñaladas por Mario, el novio de la madre, después de una pelea brutal.

La discusión había empezado en la cocina pero siguió en un pasillo. Cuando Ramona escuchó que los dos se acercaban entre insultos y empujones, tuvo miedo de que Mario la golpeara también a ella, como tantas otras veces. Entonces se ocultó, casi por un acto reflejo. Pero su hermana, que estaba durmiendo en el colchón de dos plazas que compartía con su madre, apenas atinó a levantarse y quedarse parada en un rincón.

Iris había ido al dormitorio para —probablemente— buscar un arma con la que defenderse. Pero antes de que pudiera hacer nada, Mario la empujó contra una pared y le cortó el cuello con una navaja. En el rincón, su hermana menor empezaba a tirarse del pelo y gemir, en un ataque de nervios. Mario, sin decir una palabra, también la degolló.

Ramona contuvo el aliento y se quedó inmóvil, viendo cómo las dos únicas personas en el mundo a las que quería, se iban desangrando hasta morir. Mientras tanto, Mario había ido a la cocina a lavarse las manos y a terminar parsimoniosamente la botella de vino que había empezado. Antes de irse, además, se preparó un sándwich con las sobras de la cena.

Ramona, con la vista fija en el pasillo, esperaba.

Hacía pocos días había cumplido catorce años.

Al día siguiente del crimen de su madre y de su hermana, Ramona se instaló en la casa de su abuelo Ceferino. No lo quería, pero era su única familia.

Ceferino era viudo y vivía con Matilde, su hermana ciega, que se pasaba la vida tejiendo sacos y bufandas para vender entre los vecinos.

Ramona estaba desolada. Cada noche volvía a soñar con el crimen y cada mañana se lamentaba por no haber intervenido. Estaba profundamente avergonzada por no haber ni siquiera intentado atajar a Mario. Sabía, además, que no se lo iba a perdonar nunca: toda su vida se sentiría una cobarde y una traidora. Su abuelo Ceferino no la ayudaba a mejorar su conciencia: "¿Y no se te ocurrió nada, en el momento, no podías tirarle algo por la cabeza?", le preguntaba, incrédulo, varias veces al día.

Un tiempo después le dijo a su nieta que tenía que empezar a trabajar: sin un sueldo que ayudara a redondear su pobre jubilación, los tres se morirían de hambre. Ramona dejó el colegio secundario y empezó a trabajar en la cocina de una parrilla al paso.

Mientras preparaba ensaladas y fregaba platos, pensaba en las vueltas de su propia vida: sospechaba que no debía existir ninguna persona tan desdichada como ella. Se hundió en la autocompasión y el pesimismo, y decidió abandonar a su abuelo y empezar a vivir en la calle, donde al menos podría empezar a pagar su culpa.

Una vez que tomó la decisión, armó un bolso mínimo con dos o tres mudas de ropa y salió de la casa de su abuelo Ceferino, que estaba durmiendo frente al televisor. Matilde, la tía ciega, le preguntó si iba a volver más tarde. Ramona le dijo que iba a pasar unos días afuera, con una amiga, y que le avisara a su abuelo.

Esa noche tomó un colectivo para ir al pueblo vecino, donde llegó cerca de la medianoche. Se sentó en el cordón de la vereda cerca de una parada de taxis y ahí se quedó, esperando que alguien se le acercara y le hiciera una oferta.

El primero que apareció fue uno de los taxistas. Ramona, que ya había cumplido quince años y parecía de veinte, le sostuvo la mirada. Después de un intercambio de frases prácticas, convinieron el precio y el lugar. Irían al auto de él (que estacionaría en una calle poco transitada) y ella recibiría una tarifa que era el equivalente aproximado a dos comidas en el bar de la estación.

Ramona ya había debutado sexualmente con su primer novio, a los trece años, pero no tenía ninguna experiencia en el mundo de la prostitución. Esa primera noche de trabajo fue penosa. El taxista regateó el precio ya estipulado y le pagó la mitad: a cambio le conseguiría más clientes. Un rato después, todos los taxistas de la parada habían ido con Ramona, que soportaba todo tipo de requerimientos como parte de su trabajo y su condena.

Cuando se hizo de día desayunó en un bar y fue hasta la casa de una amiga que hacía poco se había mudado a ese pueblo y le había ofrecido que fuera a pasar un tiempo con ella. Ahí se quedó casi un año.

Cada jornada laboral reafirmaba en Ramona sus ideas acerca de la crueldad de los hombres. Y cada cliente le parecía un emblema del género masculino: para ella todos eran violentos, miserables, egoístas y mentirosos.

Todos los días pensaba en Mario y lloraba por la muerte de su madre y de su hermana. Sabía que él estaba preso en una cárcel sucia y abarrotada, pero ningún castigo le parecía suficiente.

Una noche, en una habitación de hotel, cuando ya se estaban vistiendo, su cliente le anunció que no le iba a pagar. Empezaron a discutir. Mientras el hombre, medio borracho, le cuestionaba la calidad del servicio, ella escuchaba a Mario gritándole a su madre, a punto de matarla. Alucinada, agarró un enorme cenicero de vidrio y le golpeó la cabeza hasta que el cliente cayó al suelo, ensangrentado.

El hombre terminó en el hospital, con conmoción cerebral y una costura de siete puntos, y ella fue a parar a un instituto de menores.

El abuelo Ceferino fue a buscar a Ramona al instituto casi un año después de que la hubieran internado. Una visitadora social había ido a su casa a contarle lo que había pasado y a pedirle que se la llevara con él y tramitara su custodia. Pero Ceferino estaba indignado. "Si mi nieta es una puta, que se quede en la calle", fue su conclusión.

La visitadora social era una mujer joven que se había recibido hacía muy poco tiempo. Conservaba el impulso por las causas nobles y decidió poner toda su voluntad para convencer al abuelo: le explicaba que si su nieta seguía internada en ese lugar pesadillesco, se convertiría, por fuerza, en una asesina en potencia. Le recordaba entonces que lo que Ramona había visto podía enloquecer a cualquiera. "No tenga dudas", le decía. "Si se queda en el instituto, va a pasar una desgracia. Esa chica no puede seguir sufriendo o va a terminar muy mal".

En el instituto, Ramona llevaba una vida similar a la que ya conocía. Sus compañeras y celadoras recreaban lo que ella había vivido siempre: algunas la maltrataban, otras la cuidaban, algunas eran sus amigas, otras la odiaban. La diferencia era que ya no recibía golpes del novio de la madre sino de una compañera, o que no era humillada por un cliente sino por alguna de las celadoras. Cada uno de los que la rodeaban le recordaba a alguien de su pasado, y ella sentía que el círculo que era su vida no terminaba de girar sobre sí mismo.

Al fin, Ceferino decidió hacerse cargo de la nieta. Fue a buscarla convencido de que era un error llevarla de vuelta a su casa: para él, Ramona estaría mejor encerrada en un sitio seguro, sin posibilidad de salir a trabajar de puta ni de romperle la cabeza a nadie.

En el camino a la casa no se dijeron gran cosa. Ramona le preguntó por la tía ciega, y Ceferino sobre lo que le daban de comer en el internado. Al llegar a la casa, el abuelo le explicó que las reglas habían cambiado y que ella ya no podría hacer lo que quisiera. Lo habían nombrado tutor de la nieta, y tenía que asumir la plena responsabilidad por su conducta. Él hizo todo lo posible por eludir la cuestión pero el juez de menores fue inflexible. Ceferino le trasladó sus dudas a Ramona: "Te dejaron salir pero yo tuve que firmar papeles. Así que cuidado con hacer macanas porque te mando de vuelta al instituto".

Ramona no le dio la menor importancia a la amenaza. Desde la muerte de la madre y de la hermana, su vida transcurría entre desastre y desastre. Por mucho que lo pensara, no sabía qué cosa era peor: la casa del abuelo, la calle, el trabajo de puta o el internado.

Ceferino empezó a mirar a la nieta con reprobación: le parecía que tendría enormes dificultades para reformar su conducta. Para evitar problemas, había decidido que Ramona no podría salir sola de la casa después de las nueve de la noche. Durante el día se entrenaría como ama de casa y ayudaría a la parienta ciega, y después tendría que irse a dormir.

Ramona acató las órdenes de su abuelo sin chistar pero de mala gana. Nunca lo había querido, pero la convivencia le hizo perder la poca simpatía que sentía por él.

La visitadora social, Pilar, seguía yendo a la casa una vez al mes, y se quedaba siempre un buen rato con Ramona. Y Ramona, que la admiraba y creía en sus buenas intenciones, le contaba cómo iba transcurriendo su vida: se aburría brutalmente, quería estudiar pero su abuelo no se lo permitía, no tenía momentos de alegría de ninguna clase y evitaba dormir por las noches porque casi siempre tenía pesadillas: apenas cerraba los ojos veía a Mario rebanándoles el cuello a su madre y a su hermana.

Una vez Pilar le preguntó si había pensado cuál sería su reacción si se cruzara en la calle con el asesino. Ramona vaciló. "Y... por ahí trataría de matarlo". Después se quedó un rato callada, como evaluando su propia respuesta, y preguntó a su vez: "¿Cómo se hace para no matar cuando uno está queriendo matar? Porque el problema es ése".

Con el tiempo, Ceferino fue aflojando los controles a la nieta. Primero le permitió ir al colegio secundario y un tiempo después ya la autorizaba para salir de noche con amigas del barrio.

Había aparecido también el primer novio de Ramona, que hacía intentos obvios para que volvieran a estar juntos. Pero Ramona había perdido la confianza en los hombres y temía no recuperarla nunca. Una tarde fueron al cine y terminaron en un hotel. Ramona se dio cuenta de que todas las actitudes masculinas de su ex novio le resultaban chocantes y le generaban un sentimiento hostil y violento. No había una gran diferencia entre lo que estaba sintiendo en ese momento y lo que había sentido con sus clientes, cuando trabajaba de puta.

Se lo contó a Pilar. "Me parece que no voy a poder estar de novia nunca más. Lo único que aguanto es ir con clientes, y si no son clientes me traumo", explicó, tropezando con las palabras. Pilar le recomendó un psiquiatra pero ella se negó. "No quiero ir a ver a nadie. Me voy a curar sola".

Una noche, a la vuelta del colegio, fue a la estación de trenes y se quedó ahí, en clara actitud de levante. Un rato antes se había enterado, por Pilar, de que Mario había sido trasladado a una cárcel modelo, que estudiaba computación y que tenía una conducta ejemplar. Muerta de rabia, le dijo al abuelo Ceferino que tenía que salir a encontrarse con unas compañeras. En realidad fue a buscar clientes, como en los viejos tiempos. Encontró a un gordito lleno de anillos y cadenas que la llevó a un hotel. Se pasaron buena parte del tiempo tomando cocaína y después fueron a bailar. Ramona estaba exaltadísima: se paró arriba de una mesa y se puso a bailar y a cantar a los gritos. El gordito que estaba con ella la dejó sola y Ramona terminó la noche en otro hotel, con otro hombre, a quien le reclamó más cocaína. Como el cliente nuevo no tenía, empezó a agredirlo y se trenzaron en una pelea salvaje. Cuando recibió el primer cachetazo, Ramona se transformó: le dio un rodillazo en el estómago a su compañero, lo tiró al suelo, se le subió encima, lo agarró de los pelos y empezó a golpearle la cabeza contra el piso. Por su parte, ella recibió una trompada que le descolocó la mandíbula.

Ya en la casa de su abuelo, Ramona se dio cuenta de que si hubiera tenido más aguante físico, habría matado al segundo cliente sin sentir culpa ni compasión. Volvió a recordar el crimen de su madre y pensó que, a esa altura, ella misma sería perfectamente capaz de rebanar un cuello.

Cuando Pilar volvió para hacerle su habitual visita mensual, Ramona le dijo que lo había pensado con calma y había decidido ir a ver al psiquiatra que le había ofrecido la otra vez. "No es por nada, no creas. Es que me da curiosidad", justificó.

A medida que pasaba el tiempo, Ramona se volvía más violenta e ingobernable. La hermana ciega del abuelo había muerto, y en la casa quedaban Ramona y Ceferino, detestándose a conciencia.

Las sesiones con el psiquiatra no habían durado nada: Ramona no quería hablar sobre su infancia ni sobre sus sueños ni sobre su futuro, y menos todavía escuchar interpretaciones ridículas sobre su propia vida.

Para cuando Ramona había cumplido veinte años, su abuelo no tenía el menor control sobre ella. Muchas veces, cuando él intentaba darle órdenes, ella respondía a los golpes. El hombre, ya viejo y gastado, no podía hacer nada para defenderse.

Ramona había empezado a trabajar en un bar, como moza, aunque seguía conservando algunos clientes fijos para llevar a la cama: así, conseguía dinero rápido y cocaína.

Pilar, en sus visitas cada vez más espaciadas, advertía el descontrol de Ramona, pero se enteraba de la mitad de las cosas. No podía hacer más que hablarle, mientras Ramona la escuchaba con una sonrisa sobradora que la asustaba. "Yo sé que vos estás sufriendo, por eso te quiero ayudar", le decía Pilar, impotente. Todo era inútil: Ramona no quería ayuda. Lo único que quería era vengarse de Mario y sacarse de encima la culpa por no haber defendido a su familia.

Una mañana apareció Pilar con gesto serio. Buscaba a Ramona para darle la noticia de que Mario había salido en libertad. Se lo dijo de golpe, sin preámbulos, asustada por la reacción que podría provocarle. Ramona escuchó sin ninguna sorpresa e hizo la cuenta. "Seis años preso, mirá qué bien", comentó.

Antes de irse, Pilar buscó al abuelo Ceferino y le pidió que controlara a su nieta al menos por unos cuantos días.

Ceferino fue claro: "No puedo hacer nada: ella tiene más fuerza que yo. Y además, si quiere matar a ese hijo de puta, le doy la razón".

Pilar estaba segura de que el sentido común de Mario iba a impedir una tragedia: si conservaba algo de cordura, el hombre no iría a vivir al mismo pueblo donde podía encontrarse con la familia de sus víctimas. Ramona, en cambio, estaba segura de lo contrario: lo primero que haría Mario sería instalarse en la casa donde vivía antes, junto a sus hermanos. Fue lo que pasó.

Esa noche Ramona fue a trabajar al bar más temprano que de costumbre. Los nervios no le permitían quedarse tranquila en la casa. Antes de irse le preparó un plato de comida al abuelo. Ceferino, inquieto, le preguntó si no pensaba hacer nada en relación a Mario. "Por lo menos podrías ir a insultarlo", le sugirió, mientras masticaba su comida con los pocos dientes que le quedaban. Ella no le contestó nada y salió.

Por supuesto, la liberación de Mario no tomó por sorpresa a Ramona, que venía esperando ese momento desde hacía tiempo. De hecho, unos meses antes había conseguido que un cliente le vendiera un revólver usado, que ella guardaba en el cajón de su ropa interior.

Mientras iba caminando hacia el bar, empezó a imaginarse a Mario en libertad. La idea de que el asesino de su madre y su hermana anduviera suelto le resultaba imposible de tolerar. Advertía también que, contrariamente a lo que todos le decían, el tiempo no la había apaciguado: cada vez que recordaba el momento del crimen sentía la misma angustia que cuando estaba debajo de la cama viéndolo todo. Y cada vez que pensaba en Mario sentía el mismo impulso de venganza.

Durante casi dos meses Ramona esperó que Mario apareciera en el bar: lo creía tan perverso y audaz que estaba convencida de que iría a provocarla. Pero esta vez se había equivocado. Cansada de esperar, anunció en el trabajo que se tomaba unos días para cuidar al abuelo enfermo y fue a buscar a Mario a la casa de sus hermanos. Iría todas las veces que fuera necesario.

La casa estaba en una calle de tierra paralela a las vías. A un lado había un almacén y al otro un baldío. Como no quería ser vista, empezó a ir de noche para esperarlo.

La primera noche ella había llegado cerca de las nueve y se había parado del otro lado de las vías, en un descampado. Vio que un hombre mayor, que debía ser el hermano de Mario, entraba con dos cajas de pizzas. Otro hombre, acaso un amigo, lo acompañaba. Más tarde salió la madre y estuvo un buen rato afuera dándoles de comer a los gatos.

La segunda noche tampoco apareció Mario. Ramona, inmóvil, esperó hasta pasada la medianoche y volvió a su casa. En la tercera noche lo vio. Eran las diez y media cuando él llegó de pronto, caminando rápido. Abrió la puerta y en un instante ya estaba adentro de su casa. Ramona no atinó a nada. Tampoco lo había reconocido al primer vistazo: estaba más viejo, más pelado, más gordo.

Ramona se sentó en el suelo, temblando. Agarró el revólver y lo apretó tanto que se le acalambraron los dedos. Cuando escuchó que unos perros peleaban cerca suyo, se levantó y miró la hora: eran casi las once. Decidió volver a su casa. Lo que tenía que hacer lo haría más tarde o más temprano.

Esa noche volvió a tener pesadillas. A la mañana se despertó sobresaltada, recriminándose su falta de reflejos.

Se quedó todo el día con su abuelo Ceferino: quería preguntarle todos los detalles sobre la vida de su madre. El abuelo le recordó lo que ella ya sabía y agregó nuevos datos. Pasaron horas hablando hasta que Ramona se vistió, anunció que iría a trabajar y salió a buscar a Mario. Pero esa vez no lo esperó del otro lado de las vías sino agazapada en el baldío, entre unos yuyos resecos que le pinchaban la cara.

A las diez de la noche lo vio llegar. En ese momento ella salió y corrió hacia él, que estaba poniendo la llave en la cerradura.

Cuando Mario escuchó a alguien que corría tras él, se dio vuelta y vio a Ramona, apuntándole con el revólver. Mario intentó abrir la puerta desesperadamente pero mientras estaba luchando con la cerradura recibió el primer tiro en la espalda, a la altura de los riñones. La puerta se abrió cuando Mario estaba cayendo al piso. Recibió cuatro disparos más, el último en la cabeza.

Ramona, que acababa de cumplir veintiún años, se entregó a la policía. Fue condenada a siete años de prisión.

Cuando Pilar, la visitadora social, fue a verla a la comisaría donde había quedado detenida después del crimen, Ramona la abrazó llorando. "Me olvidé. Me olvidé de decirle que era yo. Él se debe haber muerto sin saber que fui yo, y ahora ya no puedo hacer nada. Pero por lo menos mi mamá y mi hermana sí deben saber".

Rosa K.,
diabólica

Todas las mañanas, entre las cinco y las seis, Rosa se levantaba y empezaba a trabajar en el campo. En forma mecánica, sin pensar en lo que estaba haciendo, se preparaba unos mates, comía las sobras de la cena y salía a la intemperie a alimentar a las gallinas, los tres caballos huesudos y las pocas cabras despellejadas.

Su marido, Mario, el dueño del campo, se quedaba una hora más en la cama y después se vestía, despertaba a sus hijos y se reunía con la esposa. No había, entre ellos, el menor vestigio de ternura marital. Pero Rosa no sufría esa carencia: por su educación y su cultura, desconocía por completo el amor romántico. Había nacido en Alemania en 1905, en una pobrísima zona rural. Por la guerra toda su familia se trasladó al Chaco, donde se instalaron en el mismo pueblo de unos parientes que habían viajado unos meses antes. Así, la infancia y la adolescencia de Rosa estuvieron totalmente alejadas de cuentos para dormir, muñecas y vestiditos.

A los diecisiete años sus padres le presentaron a Mario, un rumano catorce años mayor que ella, y le dijeron que sería su marido. A Rosa ni siquiera se le cruzó por la cabeza la posibilidad de negarse. Miró a Mario y lo evaluó: era alto y robusto, adecuado para defenderla de las contingencias propias de la vida rural. Le pareció bien. Se casaron en un registro civil del pueblo más cercano y se fueron a vivir al campo del esposo, en un paraje llamado Pampa del Infierno, un nombre que describía poéticamente las características del lugar.

El matrimonio vivía aislado, sin contacto con vecinos ni con familiares. Rosa salía de su chacra dos veces al mes, para comprar en el almacén del pueblo. En su casa trabajaba de la mañana a la noche. Cocinaba, juntaba leña, desmalezaba el terreno, cosía, limpiaba y hacía cuentas con su marido. Mario era el encargado de salir a vender frutas y verduras, gallinas y huevos.

El dinero era el gran tema de los dos. Juntaban peso sobre peso y no compraban nada que no fuera estrictamente indispensable. Tenían tres hijos, a los que mandaron a la escuela hasta que aprendían a leer, escribir, sumar y restar. Les parecía que eso bastaba para enfrentar la vida, y que lo demás era una mezquina cuestión de vanidad. Ellos mismos eran casi analfabetos y no tenían la menor intención de criar hijos que más adelante pudieran subestimarlos. "¿Para qué tienen que seguir estudiando? ¿Para que después nos traten de brutos y se rían de los padres? No señora, no va a ser así", le decían a la maestra cuando, en tercer o cuarto grado, los retiraban para siempre.

Los tres hijos ayudaban en las tareas del campo y estaban totalmente sometidos a la autoridad de los padres.

A principios de 1945, el mayor, Julio, de veintidós años, conoció a Próspera en una peña folclórica. Bailaron juntos y se citaron para el sábado siguiente. Próspera era huérfana y se había mudado al pueblo hacía poco. Vivía con una tía alemana que conocía, desde hacía muchos años, a Rosa.

Dos meses después de su primer encuentro, Julio y Próspera formalizaron su noviazgo y decidieron que era hora de casarse. Hasta ese momento él veía a su novia a escondidas porque temía la reacción de su madre, pero ante la inminencia de la boda era imposible seguir manteniendo el secreto. Un domingo, después de la siesta, Julio apareció con Próspera. Nunca, ninguno de los tres hermanos había llevado a nadie a la casa: ni a amigos, ni a vecinos ni mucho menos a una novia. Los otros dos, Santiago, de diecinueve, y Pedro, de diecisiete, sabían que su hermano se veía con una mujer, pero no esperaban que la audacia de Julio llegara a tanto.

Próspera estaba aterrorizada. Su tía le había dado las peores referencias de Rosa, y cuando la vio, con un pañuelo negro en la cabeza y un cuchillo de matar gallinas, sintió un escalofrío premonitorio.

Cortante, Rosa escuchó la tímida presentación de su hijo: "Mi novia. Quería que usted la conociera". Mario, unos metros más lejos, miraba a Próspera con lujuria: era rubia, blanquísima, de caderas fuertes, tal como a él le gustaban las mujeres. Mientras tanto, Julio, muy nervioso, trataba de que su madre aceptara a su futura esposa. "Es muy trabajadora, la puede ayudar con las cosas de la casa", dijo, como para convencerla.

Rosa miraba a la novia del hijo con suficiencia y hostilidad. Estaba asombrada de que un dato tan importante como el noviazgo de Julio le cayera por sorpresa. Se sentó junto a la mesa de la cocina, se sirvió un mate y empezó a interrogarla. Próspera, tiesa, sin silla y sin mate, estaba más pálida que nunca mientras iba contestando las preguntas de Rosa. Ninguno de los hombres de la casa abrió la boca durante todo el tiempo que se tomó la madre para analizar a la futura nuera. La tensión entre las dos mujeres se mantuvo estable hasta que la mención de la tía de Próspera desbalanceó las cosas. Rosa golpeó la mesa con el puño y asintió para sí. "Así que la alemana Ani es tu tía. Claro, ahora entiendo...".

Las familias de Rosa y de Ani se conocían de los tiempos en que vivían en Alemania y se odiaban de toda la vida. Apenas la novia de Julio volvió a mencionarla, Rosa la cortó con un solo gesto de la mano. "Nunca más me hables de esa mujer. Por mí se puede morir mañana y estaría bien".

La violencia de la escena logró movilizar a Julio, que siguió explicando sus proyectos para incluir a la novia en la vida familiar. Muy inquieto, temiendo que su madre interfiriera en sus planes, empezó a contar, con mucho apuro, todos los pasos que habría que seguir: habilitar una pieza para ellos dos, conseguir una cama y algunas mantas, hacer los trámites con el juez que los iba a casar. Rosa estaba por intervenir cuando Mario, desde la puerta de la cocina, dio su opinión final. "Está bien. Les doy mi bendición".

Esa noche Rosa encaró a su hijo. Le dijo que su novia era, evidentemente, una mujer inútil que no haría más que arruinarle la vida. Habló también de la falta de respeto a una madre ("¿Cómo no me avisó antes?") y de los inconvenientes de traer a la casa a una desconocida. Mario cortó la charla con autoridad. "Basta, ya está. Julio se casa y trae a la mujer acá. Va a estar bien".

Rosa no dijo nada más. La opinión del marido no iba a ser discutida por nadie.

Sin embargo, antes de dormirse, le habló a Mario con honestidad y le preguntó por qué aceptaba que una intrusa viviera con ellos. "No sé. Me gusta", fue la respuesta.

El casamiento no incluyó fiesta ni brindis ni iglesia ni vestido blanco. Próspera se había puesto la misma ropa que usaba cada sábado para ir a bailar a las peñas: una pollera por debajo de la rodilla y una blusa con cuello redondo. Rosa siguió toda la ceremonia en el registro civil con la mirada fija en la espalda de su hijo Julio. Apenas los dos terminaron de firmar, ella se levantó y fue a su campo a darles de comer a las gallinas. Ni siquiera necesitó cambiarse de ropa: para hacer más evidente su disgusto por la elección de la nuera, fue al casamiento vestida como para trabajar la tierra.

Mario, en cambio, se había puesto su traje de domingo y abrazó a Próspera como si fuera su propia novia.

La noche de bodas la pasaron en la casa. Julio había instalado su cama de una plaza en un galpón que había atrás de la cocina, donde guardaban las herramientas. Próspera había llevado sábanas y mantas y entre los dos arreglaron las cosas como para improvisar un dormitorio.

A la mañana siguiente, todos se levantaron al alba, como de costumbre. Próspera, muy tímida, se sentó en un banco apartado de la cocina esperando recibir instrucciones. Rosa le tendió un mate y un plato con galletas marineras duras como la roca. De inmediato tomó el control de la situación. Mandó a la nuera a comprar lavandina para hacer una limpieza general de la casa. Julio aprobó: "Próspera limpia bien, va a ayudar con todo".

Como era previsible, la limpieza de Próspera no recibió la aprobación de la suegra. Indignada, Rosa levantó por el aire la botella de lavandina recién comprada, que ya estaba semivacía, y le dijo a la nuera que no tenía por qué haber gastado tanto. "Estúpida, con un chorrito es suficiente", le gritó. Próspera no atinó a contestar una sola palabra, pero más tarde le hizo un inútil comentario al marido. Julio, que respetaba y adoraba a su madre por sobre todas las cosas, la hizo callar. "No hables mal de mi mamá. Ella tiene razón, ¿o vos vas a saber limpiar mejor que ella?"

Una tarde, cuando Próspera había terminado de lavar los platos y las ollas del almuerzo, Rosa examinó una sartén y la volvió a poner en el tacho con agua. "Lavá las cosas otra vez. Quedó todo sucio". Próspera, con rabia contenida, volvió a lavar platos y ollas, fregando con odio mal disimulado. Apenas terminó, Rosa volvió a la carga. Sin siquiera echar un vistazo, dio la nueva orden. "No quedaron bien. Hay que lavar de nuevo". Próspera volvió a lavar. Esta vez, Rosa revisó cada cosa y empezó a gritar. "¡Mi hijo se casó con una inútil, una bruta que no sabe ni lavar platos!"

La paciencia de Próspera había llegado al límite. Furiosa, le dijo a Rosa que si no le gustaba cómo hacía las cosas, que se encargara ella. Mario, que había entrado a la casa alertado por el griterío, se acercó a la nuera y le dio una trompada. Julio y sus hermanos también habían llegado para ver qué pasaba. Rosa, con rabia, le dijo a Julio que su mujer la había insultado y se había negado a cooperar con las cosas de la casa. Sin decir una palabra, Julio se acercó a su mujer y también le dio un golpe.

Mario, como cabeza de familia, dio la orden de llevarla al galpón, para que fuera castigada. Se preparaba para hacer lo que tenía pensado desde el día en que vio a Próspera por primera vez.

Siguiendo las instrucciones de Mario, Julio desnudó a su esposa y le ató brazos y piernas. Rosa llevó el tacho de lata donde Próspera había lavado los platos y le tiró encima el agua sucia y fría. Julio la agarró del pelo y le golpeó la cabeza contra el piso mientras le gritaba que no tenía que desobedecer a su madre.

Rosa, con mirada triunfal, les ordenó a sus hijos volver a su trabajo. Cuando se iban, atajó a Julio: "Esta mujer me falta el respeto. Vive en mi casa y me falta el respeto". Julio, indignado, le pidió perdón. "Póngale castigo, haga cualquier cosa. Por mí, lo que usted haga va a estar bien".

Mientras Julio caminaba para la zona de los corrales, Mario miró a la esposa y le dijo que ahora le tocaba a él. Se bajó los pantalones y la violó, frente a Rosa.

Esa noche Julio volvió a su pieza, junto a sus hermanos. Próspera quedó en el galpón, desnuda, atada, sobre el piso mojado por el agua de lavar los platos y las ollas. Al día siguiente Julio fue a desatarla. "¿Ves? No hagas enojar más a mi familia. Nunca más los hagas enojar". Por los nervios y los golpes, Próspera estaba en shock, temblando, sin decir una palabra. Julio le dio un vaso con aguardiente de caña y la hizo vestir para que empezara con otro día de tareas hogareñas.

Rosa la recibió en la cocina como si nada hubiera pasado. Le alcanzó un mate y le dijo que fuera a limpiar el gallinero. Mario la miró como si mirara a uno de sus animales y le anunció a la mujer que iría al pueblo para tratar de cerrar algunas ventas.

63

Ese mismo día, después de cenar, Julio volvió al galpón a dormir con su mujer.

Las semanas siguientes fueron lentas y anodinas. Rosa obligaba a su nuera a trabajar sin parar, y Próspera acataba por miedo. Nadie hablaba con ella y todos la maltrataban. Varias veces había intentado hablar con el marido para que dejaran de castigarla o para que le permitieran volver con su tía Ani, pero todo era inútil.

Rosa la despreciaba cada vez más. Le parecía, también, una carga inútil: era verdad que ayudaba con las cosas de la casa, pero también había que alimentarla. "No alcanza la plata", le decía al marido. "Esa mujer no trae un peso y nosotros no podemos gastar en una persona más".

Un mediodía, Rosa le pidió a Próspera que hiciera una sopa de pollo y verduras. Julio estaba con gripe y la sopa podría aliviarlo. Próspera cocinó, después de recoger las verduras en la huerta y pelar el pollo que había matado Rosa. Metió todo en una olla y se puso a lavar la pila de ropa que la suegra le había dejado. En eso estaba cuando sintió que alguien le tiraba del pelo. Era la suegra. "¡Inútil! ¡Puta! ¡Llenaste de sal la comida!" La arrastró de los pelos hasta la cocina y le mostró la olla. "¿No te había dicho, yo, que mi marido no puede comer con sal por la presión? ¡Estúpida!" Rosa agarró una cuchara, la llenó de caldo e intentó hacérsela tomar a Próspera, que se negó. Rosa no podía creer que la nuera intentara resistir una vez más su autoridad. "¿No querés probar? ¿No querés probar?" Entonces le agarró la mano y se la metió dentro del líquido humeante.

Unos días después, cuando ella todavía estaba con la mano vendada, estalló una nueva pelea por motivos domésticos. Esta vez se repitió el ritual del primer castigo. La llevaron al galpón, la ataron, la golpearon los tres hermanos y después Mario la violó.

A partir de ese día, Próspera no tuvo descanso. El sadismo de la familia se había desatado en todo su esplendor. Los castigos se sucedían casi a diario, hasta que una noche Próspera se animó: cuando advirtió que toda la familia dormía, se levantó de su cama y caminó durante casi dos horas hasta llegar a la casa de una amiga, Jorgelina.

Cuando la amiga la vio parada en la puerta, con un ojo negro, moretones en todo el cuerpo, dos dientes rotos y restos de sangre seca en el cuello, pensó que la habían atacado en el camino. Próspera, llorando, le contó que sus parientes la golpeaban y que estaba segura de que iban a terminar matándola.

Jorgelina le lavó las heridas, le colocó vendajes y apósitos, y le dijo que tendrían que ir al hospital por si había algo más serio. Próspera fue inflexible: no iría, porque si llegaba a ir, Julio y su familia no se lo perdonarían y podría pasar una desgracia.

Próspera pasó un día entero durmiendo hasta que, entre sueños, escuchó que llamaban a la puerta. Próspera y Jorgelina estaban solas, y vieron que el que llamaba era Mario. En cuanto entró, miró a su nuera con pena y le pidió disculpas. "Perdone. Mi hijo no va a volver a pegarle, ni nadie de la casa. Traje el carro para llevarla de vuelta". Jorgelina examinó a Mario y vio a un hombre mayor, que se había sacado un sombrero gris para entrar y parecía avergonzado por la actitud violenta del hijo. Le pareció imposible que ese hombre gastado pudiera hacerle daño a la esposa del hijo, pero desconfiaba de Rosa, de quien había escuchado comentarios tremendos. Sintiéndose responsable por la amiga, trató de pensar qué cosa podría hacer. Pero Mario no le dio tiempo. Tomó a Próspera del brazo y la arrastró hacia el carro. Jorgelina no se animó a interferir: ella pasaba buena parte del tiempo sola en un rancho alejado de las casas vecinas, y la familia podía tomar represalias contra ella. No lo pensó más y dejó que Mario se la llevara de vuelta a su campo.

Cuando volvieron, Rosa la recibió con sorna. "Miren quién volvió. Parece que la chica quería vivir en otro lado". Julio la vio de lejos y ni siquiera se acercó a saludarla: se había convencido a sí mismo de que no tenía que haberse casado con una mujer que martirizaba a su madre y daba muestras de rebeldía y de independencia.

Rosa la miró y se la llevó a la cocina. "¿Vos anduviste hablando de más por ahí, con tu amiga? Porque si anduviste hablando de más, te va a ir muy mal, ¿me entendiste?"

Después de su escape fallido, Próspera no volvió a intentar nada por un buen tiempo. Creía realmente que podían matarla. Además, no tenía ningún otro lugar adonde ir. Jorgelina no contaba: era muy evidente que irían a buscarla ahí. Y la tía Ani ya le había dicho que no le hablaría nunca más si se iba a vivir con Rosa. Ése había sido el error: se había dejado llevar por el impulso de casarse con Julio y no había escuchado las sabias advertencias de su tía.

Su vuelta fue menos traumática de lo que esperaba. Había imaginado que la castigarían brutalmente, pero no fue así. Y no es que se hubieran arrepentido de su saña brutal sino que temían que la amiga de Próspera hubiera

alertado a la policía. De modo que por un tiempo la dejaron tranquila. Esa tregua sirvió para que Julio la embara-
zara.

Una noche, después de casi tres atrasos, Próspera le
contó a su esposo que iban a tener un hijo. Julio recibió la
noticia con inquietud. Esperó a la mañana siguiente y fue
a contarle a su madre. Rosa lo pensó unos minutos y tomó
la decisión: había que matarla. Nadie podía saber con certeza de quién era el hijo y, además, siendo madre, Próspera empezaría a pedir dinero. "Va a querer sacarnos todo, la
muy puta. Por eso se embarazó", dijo Rosa, sabiendo que
su reflexión haría enfurecer al hijo. En efecto, aunque hizo
un tímido amago de canjear el asesinato por un aborto o
un destierro, los argumentos de la madre terminaron con-
venciéndolo.

El plan fue obra exclusiva del ingenio matador de
Rosa.

Lo primero que hizo fue reclutar a Pedro, el hijo
menor, para que la acompañara a los matorrales. Eligió al
menor por pura casualidad: los otros dos tenían cosas que
hacer en el campo y vio que el más chico ya había terminado sus tareas. Esperó a que pasara el mediodía y salieron juntos, provistos de un palo con la punta bifurcada y
dos tachos vacíos de yerba con capacidad para cinco kilos.
Pedro no preguntó nada. Estaba acostumbrado a obedecer sin preguntar, aunque más de una vez había sentido
piedad por su cuñada. No había llegado al extremo de
impedir que la lastimaran, pero trataba de no cooperar
con las palizas, como sí lo hacía su hermano Santiago,
que hasta la había violado alguna que otra madrugada en
complicidad con el padre. En realidad, a Pedro le gustaba Próspera, soñaba con ella y se imaginaba rescatándola
del infierno familiar: podrían abandonar juntos el

campo, desaparecer de la zona e instalarse como marido y mujer en algún pueblo perdido.

Pedro volvió a pensar en eso mientras caminaba con la madre por los caminos de tierra. Un polvo claro cubría los pastizales, que a medida que avanzaban por el sendero que había elegido Rosa se hacían más y más altos y espinosos. Después de un buen rato, la madre dio la voz de alto. "Acá. Usted busque por esos lados, y yo busco por allá. A ver si agarramos unas víboras como la gente. Vivas". Aunque no tenía por costumbre desentrañar el sentido de las órdenes maternas, esta vez la intriga pudo más. Preguntó qué harían después con las víboras, pero la madre ni siquiera se dignó a contestar.

El hijo fue el primero en capturar la suya: con destreza, la fue arrastrando con el palo hasta lograr que estuviera cerca de la lata, y después la empujó hacia adentro. Fue a buscar a su madre, que todavía no había encontrado ninguna. "Vi dos pero chicas. No servían. Vamos a buscar más", se justificó, enojada. Al fin, cuando el sol ya estaba más bajo, Rosa vio un imponente ejemplar de yarará, que pocos minutos después estaba debatiéndose dentro del segundo tarro de yerba. Antes de volver, la madre felicitó al hijo, a su manera. Señalando su lata y la víbora que él había capturado, asintió con la cabeza. "La que agarró usted también es una de la cruz. Es de las buenas".

Por un par de días no se supo nada más de las serpientes. Pedro había comentado con sus hermanos los detalles de la excursión, pero después todos olvidaron el asunto.

Al fin, la madre reunió a los hijos y el marido y les dijo que al día siguiente tendrían que matar a Próspera. Las instrucciones eran claras: saldrían todos de excursión para pasar un día de campo y allí procederían. El único que no iría sería Santiago, porque no era conveniente dejar la casa sola. Julio miró a Rosa con gesto inexpresivo y retomó sus cosas. "Tengo que terminar de podar la parra", fue su reflexión, antes de dejar la reunión junto con el padre.

Por su parte, Pedro estaba sorprendido. Se sentía culpable y traicionado por la madre. Sin embargo, no se animó a hacer ningún comentario. Salió a caminar hasta que fue a encarar a Julio. "Es tu mujer y espera un crío. ¿No vas a hacer nada?" Julio fue brutal. Le dijo que, por ser precisamente su mujer, él podía hacer con ella lo que quisiera.

Mientras tanto, Rosa había ido al encuentro de Próspera. Le contó que al día siguiente harían un picnic en el campo. Saldrían temprano y tendrían que llevar comida y bebida. La mandó a comprar carne para milanesas y pan.

Cuando volvió con las cosas, Próspera empezó a cocinar para la salida en familia. Por un momento tuvo la idea de que el hijo que estaba esperando había logrado que la aceptaran. Mientras golpeaba las milanesas con una maza de madera, apareció Pedro. Casi en secreto, vigilando que no entrara nadie más, le advirtió a la cuñada que tenía que escaparse esa misma noche. Próspera, muy extrañada, le preguntó por qué le decía eso. Pedro, sin atreverse a contarle lo que estaba pasando, le dijo que sería lo mejor para ella y el bebé. Pero Próspera no estaba dispuesta a abandonarlo todo para criar a su hijo en la calle. "Si no tuviera el bebé, por ahí me iría. Pero con la panza me tengo que quedar". Le explicó, además, que hacía poco había intentado escapar por segunda vez pero que su marido había sospechado y la estuvo vigilando día y noche durante una semana entera. Pedro no insistió más y dejó a su cuñada cocinando.

Un rato más tarde, Próspera ya tenía listos los sándwiches. La suegra los miró, disconforme, y los empezó a contar. Le dijo que, como tenían que pasar por la casa de un pariente de Mario, necesitarían un par de sándwiches más. Entonces la mandó a la carnicería para comprar otras dos rebanadas de carne. "Dos fetas finas, comprá", le recomendó. La carnicería estaba lejos de la casa y ese día el calor era insoportable. Próspera pidió quedarse: estaba con náuseas y mareos, y tenía miedo de que pudiera pasar algo malo con su embarazo. "Si quiere, yo no como el mío y en el picnic me arreglo con una fruta, nomás", propuso, para no tener que salir al calor del verano chaqueño. Rosa, con una sonrisa perversa, le puso unas monedas en la mano y la mandó de vuelta a la carnicería.

Al día siguiente salieron antes de las siete de la mañana. Subieron al carro un canasto con los sándwiches y algunas frutas, y Julio se encargó de esconder bajo unas mantas los tarros de yerba con las víboras. Rosa se despidió de Santiago, recomendándole que cuidara bien las pertenencias del hogar, y salieron.

Cerca de las once, Próspera pidió hacer un alto. El movimiento del carro la había mareado y se sentía enferma, acalorada y con náuseas. "Debe ser el embarazo", explicó. Rosa hizo parar el carro y anunció que se detendrían para almorzar. Enérgica, dio instrucciones a los hijos para que bajaran las cosas. Se acercó a Próspera y le palmeó la cabeza. "Ya vas a estar mejor, ahora vamos a comer algo y vas a estar mejor".

Julio agarró a su mujer del brazo y la sentó sobre una lona, a la sombra de un árbol. Desde el suelo, Próspera veía los movimientos de toda su familia y advirtió algo extraño. Todos hablaban en secreto y la miraban de reojo. Recordó que Pedro le había sugerido que se escapara la noche anterior a la excursión. Lo miró, pero él estaba revisando las correas que sujetaban los caballos al carro. Estudió el paisaje que la rodeaba: todo era tierra, malezas, polvo, y un calor que espesaba el aire. Se secó la frente con un pañuelo y buscó a su suegra: vio que estaba maniobrando con una lata de yerba.

De pronto, Próspera sintió una mirada en la nuca: se dio vuelta y se encontró con los ojos enrojecidos de Mario clavados en ella. Incómoda, estiró las puntas de la lona para recostarse en el suelo y así descansar la espalda. Estaba estirando las piernas cuando escuchó pasos que se acercaban. Se incorporó y pudo ver a su marido, a Mario y a Rosa que iban hacia donde estaba ella. Su suegra llevaba una lata de yerba. Los tres caminaban lento, más lento de lo que caminarían normalmente. Ese ritmo la puso en guardia: algo estaban planeando. Próspera se incorporó de un salto y en ese instante su suegro la agarró por la cintura, desde atrás, y su marido le inmovilizó el brazo izquierdo. Rosa, con una sonrisa en los labios, abría la lata y le mostraba la víbora que había adentro. Mientras Próspera gritaba por el pánico, forcejeando para liberarse, Julio le doblaba el otro brazo para lograr que metiera la mano por la boca del tarro. Se resistió todo lo que pudo pero el esfuerzo fue inútil: al fin, lograron que Próspera metiera la mano. Sin embargo, milagrosamente, la víbora no atacó. Rosa, insultando entre dientes, golpeó el tarro varias veces y lo movió a un lado y al otro. Entonces sí, la víbora clavó sus colmillos en el

71

dorso de la mano de Próspera. El dolor fue tan fuerte que ella ni siquiera atinó a gritar. Se quedó sin aire y se le aflojaron las rodillas. Mientras Julio la sujetaba, Mario sacaba un cuchillo que le colgaba del cinturón y cortó la cabeza de la víbora de un solo tajo. En ese momento Próspera estaba con la cara crispada por el dolor y los ojos cerrados. Cuando sintió la segunda mordedura gritó por la sorpresa. Abrió los ojos y vio que Mario, con la cabeza de la víbora en la mano, le había incrustado los colmillos del animal, que todavía conservaban veneno, muy cerca de la picadura anterior.

Próspera se dejó caer en el suelo, sollozando y temblando. Los demás la dejaron y fueron a buscar los elementos para el picnic. Rosa tomó agua y los hombres unos sorbos de caña. Después desenvolvieron los sándwiches de milanesa que había preparado Próspera el día anterior y se los comieron. Mientras tanto, Próspera había intentado limpiarse la mordedura con su camisa y les suplicaba que la llevaran a un hospital. Se agarraba la mano herida con la otra mano y no paraba de sollozar. Cuando Rosa terminó de comer, se limpió la boca con la pollera y buscó agua. Estaba convencida de que si la nuera tomaba agua, el veneno se potenciaría. Se la ofreció, y Próspera tomó, desesperada.

Rosa también estaba segura de que el movimiento era crucial para que el veneno se expandiera por todo el cuerpo. Se sentó al lado de la nuera y le dijo que la única forma de salvarse era moviéndose sin parar. Le inventó que solamente habían querido castigarla, pero que ahora la iban a ayudar a ponerse bien. Para eso ella no tenía que quedarse quieta: no había nada más peligroso cuando a alguien le picaba una víbora. Perdido por perdido, Próspera se aferró a esa última esperanza: estaba demasiado asustada y necesitaba creer que lo que decía su suegra era cierto. Mientras los hombres volvían a guardar las cosas en el carro, Rosa fue a buscar el otro tarro de yerba con la segunda serpiente, y lo abrió. La dejó escapar porque ya no la necesitaban.

Mientras tanto, Mario había atado una cuerda en la cintura de Próspera. El otro extremo iba enganchado al carro. De ese modo, la hicieron trotar durante larguísimos tramos de camino, hasta que se caía, agotada. Entonces alguno la levantaba, la subía al carro, y seguían. A medida que pasaban las horas, la herida se le iba hinchando y poniendo de un peligroso color morado. Además, tenía fiebre y taquicardia. Ya casi no podía andar atada al carro: se caía una y otra vez. Julio y Mario bajaban y trataban de obligarla a caminar. Rosa, en un momento, les sugirió que usaran un método más efectivo que los gritos de amenaza. Ella misma bajó e intentó que caminara golpeándola con un martillo en la espalda y en el pecho. Cuando se hizo de noche, Próspera renunció a todo. Se dejó caer y esperó la muerte. Lo único que hizo fue correr la cuerda de su cintura y ponerla más arriba, por encima del abdomen: no quería lastimar a su bebé.

El grupo pasó la noche a la intemperie. Se cubrieron con unas mantas y esperaron la salida del sol. Muy temprano se alistaron para seguir. Fueron a ver a Próspera, que seguía viva. La habían escuchado quejarse y delirar toda la noche sin parar. Rosa, una vez más, fue la que tomó la decisión. Llamó a Mario y a Julio y les dijo que terminaran de una vez con lo que habían empezado. Los dos se acercaron a Próspera y la asfixiaron con un trapo. Después usaron ese mismo trapo para vendarle la mano y fueron directo a un puesto policial en Campo Grande. Bajaron el cadáver y denunciaron que había ocurrido una terrible

73

calamidad con una víbora y la mujer del hijo mayor que, para colmo, estaba embarazada.

Una semana después del entierro, en la comisaría de Pampa del Infierno se recibió una denuncia anónima: pedían que se investigara la muerte de Próspera porque toda su familia la venía golpeando, lastimando y amenazando. Dos policías fueron a la casa de Rosa a hacer algunas preguntas. Ninguno se puso de acuerdo con los demás acerca de los motivos del viaje fatídico. Tampoco había coincidencias en el relato del accidente con la víbora, ni supieron explicar por qué el cuerpo de la mujer presentaba tantos golpes y magullones. Al final, los detuvieron para ampliar el interrogatorio. Varias horas más tarde, Mario confesó todo, incluyendo detalles increíbles y macabros. Después confesaron los demás.

Con la excepción de Pedro, que lloró y dijo que estaba arrepentido, los otros no mostraron ningún sentimiento de culpa.

Otro policía les preguntó, además, por dos muertes que habían sucedido en el mismo campo, hacía varios años. Rosa no tuvo ningún inconveniente en hablar: un par de años atrás habían envenenado al hermano de Mario porque se había instalado con ellos en el campo y ya no querían seguir manteniéndolo. "Nos costaba mucha plata darle de comer y él no trabajaba porque era enfermo", fue la explicación de Rosa. "Y al otro hombre lo mató Mario. Él solo. Le cortó el cuello con la faca. Estaba celoso porque él era demasiado amable conmigo. Yo lo único que hice ahí fue ayudar a enterrarlo".

Rosa, Mario y Julio K. fueron condenados a prisión perpetua. A Pedro le correspondieron diez años de prisión. Santiago fue sobreseído.

Julio y Rosa obtuvieron la libertad condicional en 1964 y se mudaron a otro pueblo. Mario murió en la cárcel de Resistencia en 1966, a los setenta y seis años.

Cándida R.,
la mujer del ferretero

Harta de trabajar de prostituta, Cándida R. decidió reformar su vida con urgencia. Había cumplido cuarenta y dos años, y estaba cansada de ver a mujeres de su edad y profesión, arrugadas y vencidas, que a veces no eran capaces de ganar el dinero mínimo para pagar un plato de comida barata. Ella todavía tenía las tetas en su lugar y lograba disimular la panza incipiente con una faja, pero era obvio que la decadencia se le había instalado en el cuerpo. Se consolaba y consolaba a sus compañeras diciendo que las otras mujeres, las que no eran putas, también sufrían con el desgaste de la carne. "Nosotras nos hacemos mierda más rápido, pero el resto de las minas también se hacen mierda y los tipos no las miran más". Admitía, sí, que teniendo un marido la vejez se hacía más soportable y digna. Así es que empezó una campaña intensa destinada a casarse lo más rápido posible.

Ni ella misma pensó que lo iba a lograr, pero poco tiempo después recibió un cliente nuevo que era el candidato ideal. Se llamaba Ángel, parecía un buen hombre, contaba con bastante dinero en el bolsillo y tenía dos atributos inmejorables: era viudo y había pasado los setenta años.

Ángel alquilaba una ferretería cerca del Hospital Israelita, y en el barrio tenía fama de trabajador y honesto. La propietaria del local estaba encantada con su inquilino: según ella, Ángel nunca se había atrasado en el pago del alquiler y a veces llegaba a pagar por adelantado.

El local estaba adosado a una casa donde el ferretero vivía desde la muerte de su esposa. Sin embargo, Ángel no vivía solo: hacía un par de años compartía su casa con Carmen, una peruana esotérica a la que había conocido cuando su esposa estaba agonizando. Él, desolado por su inminente viudez, había ido a ver a una mujer que tiraba las cartas y hacía "trabajos" de sanación a distancia. Carmen no acertó en sus predicciones ni tratamientos pero le calmó la angustia, lo hizo sentir menos solo y le preparó infusiones con hierbas para que pudiera dormir en sus noches de insomnio.

Ya viudo y con casa y ferretería a estrenar, Ángel empezó a ver a Carmen fuera de su "consultorio" astrológico. Un tiempo después, ya estaban saliendo como novios. Y en cuanto Carmen tuvo problemas con la casa que alquilaba, se mudó con el ferretero, que la aceptó con alegría y culpa. Le parecía que, por respeto a la esposa muerta, tenía que haber esperado unos meses más para instalar con él a una mujer, pero festejaba tener a alguien con quien vivir: cuarenta años de matrimonio le habían atrofiado su capacidad para soportar la soledad.

Cándida llevaba diez años de convivencia con Víctor, un hombre cuatro años menor que ella, adicto a la cocaína, violento y vividor. Él la había conocido en la calle y le había ofrecido protección a cambio de dinero.

Ella había venido de Paraguay creyendo que en Buenos Aires todo le resultaría fácil. Al principio se negó a aceptar ayuda porque no quería compartir lo que ganaba, pero poco después se topó con la realidad. Víctor la salvó de una paliza brutal entre mujeres y se la llevó a su casa. Cándida, que no estaba acostumbrada a recibir ayuda ni siquiera pagando, se enamoró de ese hombre que, a pesar de sacarle el dinero, le cebaba mate y le preparaba sándwiches para que saliera a trabajar sin hambre y dejaran de notársele los huesos.

Pero Víctor jamás cedió a cuestiones sentimentales. Nunca aceptó achicar su "comisión" del cincuenta por ciento. Por el contrario, cuando quería comprar más cocaína que la habitual, se quedaba con todo el dinero de Cándida y después le devolvía algo, si es que le daba la gana.

Ella soportaba las cosas con el estoicismo inútil de las mujeres aferradas al hombre equivocado. Por otro lado, no conocía una vida mejor. Su propia madre la había iniciado en la prostitución a los trece años, cuando la ofreció al dueño del mercado en el que trabajaba. Una tarde volvió a su casa temprano, llamó a Cándida, le puso una pollera corta y una remera ajustada, le pintó los párpados de verde y la boca de morado, y la llevó a lo de su jefe sin darle mayores explicaciones.

Ángel, el ferretero, extrañaba a su mujer muerta y sentía que con Carmen, su amiga peruana, no tenía demasiadas cosas en común. El hecho de haberla conocido cuando su esposa aún vivía le resultaba conflictivo: con ella tenía la vaga sensación de estar siempre en falta. Pero

Carmen le resolvía todo: cocinaba, lavaba, planchaba, limpiaba y lo ayudaba a atender el negocio. A cambio recibía un sueldo, aunque nunca habían aclarado si el dinero cubría su trabajo como empleada doméstica, como vendedora o como ambas cosas. Nunca compartieron el cuarto: a Ángel, la memoria de la esposa no le permitía semejante agravio. Carmen lo visitaba en su pieza de vez en cuando, si es que él la llamaba, y dormía en una habitación que estaba atrás de la cocina.

El ferretero, a pesar de todo, seguía sintiéndose solo. El duelo y la angustia por su condición de viudo lo habían deprimido. Pero como ni siquiera había pensado nunca en el significado verdadero del duelo ni de la depresión, creía que lo suyo era otra cosa: nostalgia, aburrimiento, cansancio. Sus amigos hicieron el mismo diagnóstico y le sugirieron que tenía que salir y distraerse. A él le pareció razonable y empezó a hacer lo que hacía tiempo había abandonado: ir de putas. De hecho, durante su matrimonio, muchas veces había buscado el consuelo de alguna para sobrellevar una vida dura, teñida de la más pura domesticidad. Pero en los últimos años le había parecido que cualquier cosa relacionada con el sexo era más un trabajo que una satisfacción.

Una noche, sin embargo, le dijo a Carmen que iba a ver a unos parientes y salió a buscarse una. Fue a su viejo barrio y vio a varias, aunque no se animó a acercarse. Pero en una esquina estaba Cándida, que fue directo hacia él. Cuando estuvieron cara a cara, Ángel se sintió viejo y desubicado. Ella, que tenía la percepción de las buenas putas y los reflejos intactos, advirtió lo que pasaba y se adaptó a la situación. No le dijo ninguna grosería ni lo tocó ni propuso un precio, sino que le preguntó si era nuevo en el barrio y si se había perdido. Lo dijo de manera tal que Ángel no se sintiera un anciano decrépito sino un señor maduro que despertaba el interés de una mujer. Él contestó que no estaba perdido, que conocía muy bien el barrio pero que a ella no la había visto nunca. Así empezaron, y aunque terminaron en un hotel, él sintió que esa mujer era distinta. La invitó a comer para el día siguiente.

Cándida y Ángel fueron a cenar a un restaurante chino de la calle Corrientes. Ella disfrazó algunos hechos de su pasado pero fue sincera cuando le contó que estaba desesperada por dejar la calle. Él le contó de su matrimonio, de la muerte de su esposa y de su trabajo como ferretero. Le dijo que no había tenido hijos y que ahora estaba compartiendo la casa con una empleada de confianza que no tenía dónde vivir.

Cándida comió muy poco y se dedicó a mirar a Ángel como si fuera el hombre de su vida. Dio resultado. Ángel fue sintiéndose más y más seguro, y se animó a invitarla a salir otra vez. Pero ella fue directa: le explicó que estaba obligada a trabajar porque el hombre que la protegía le exigía una mínima cantidad de dinero cada día. Ángel le dijo que no se hiciera ningún problema: él le conseguiría esa cantidad cada vez que salieran juntos.

Víctor no puso objeciones a esa nueva modalidad laboral. "Mientras me traigas la guita, está todo bien", fue su reflexión. Cándida, a esa altura, ya había dejado de quererlo. Si en algún momento se sintió enamorada de su protector, su amor se diluyó muy rápido, por obra y gracia del mismo Víctor: a fuerza de mentirle, maltratarla y esquilmarla, logró que ella ya no pensara en él como su hombre sino como su obstáculo.

Libre de la tarea ingrata de retener a Víctor, Cándida puso todas sus fichas en Ángel. Y en menos de tres meses logró que él empezara a hacer planes con ella.

Para acelerar las cosas, Cándida apareció en una de las citas llorando a mares. Dijo que un cliente la había amenazado de muerte, y que ella ya no aguantaba más la tensión de trabajar en la calle. Ángel le pidió que abandonara el trabajo esa misma noche. "A vos no te puede pasar nada", le dijo él, pensando, seguramente, que no soportaría una nueva viudez, aunque en este caso no se le moriría la esposa sino la puta.

Esa noche, para consolarla, la llevó a su casa a comer. Carmen estaba en la cocina, mirando televisión. Las presentó con incomodidad. Carmen suponía que él tenía otra mujer, pero no sospechaba que la llevaría a la casa. Con absoluta falta de tacto, Ángel le pidió a Carmen que le calentara un poco de comida a Cándida y que se la sirviera.

Las dos se odiaron desde el primer momento. Pero Cándida llevaba todas las de ganar, y tuvo muy en claro que ya desde ese día tenía que marcar posiciones. Por eso, cuando él le dijo que se quedara a dormir en el living, ella fue terminante: lo llevó aparte y le explicó que estaba enamorada de él, que quería dormir abrazada a él, y que no quería ocultarse de nadie.

Cándida, en realidad, no estaba arriesgando nada: con sólo mirar a Carmen y ver la actitud de Ángel hacia ella, supo que era una rival muy menor.

Esa noche, Cándida y Ángel durmieron juntos y Carmen se quedó en su cuarto, prendiéndoles velas a los santos para que la ayudaran a exterminar a la intrusa.

La convivencia entre los tres duró un par de semanas. Cándida estaba instalada en la casa, dormía con Ángel y peleaba con Carmen de la mañana a la noche. Carmen sabía que su permanencia en lo de Ángel estaba llegando a su fin, y no se privaba de hostigar a la otra y de hacerle escenas de celos al ferretero.

Por las tardes, él y Carmen se instalaban en el negocio y tomaban mate como dos viejos amigos. Cándida solía aparecer, con un banquito, y se sentaba entre ellos, haciendo comentarios ácidos sobre la amistad entre hombres y mujeres, sobre las peruanas y sobre la vida en general.

Las represalias venían enseguida. Como sabía que Cándida era supersticiosa, Carmen se encargaba de hacerle saber que tiraba las cartas y adivinaba el futuro. Exageraba, además, acerca de sus improbables dotes para hacer "trabajos" y gualichos. Una vez Cándida entró al cuarto de Carmen para buscar un cinturón, convencida de que la otra se lo había robado, y se encontró con un altar lleno de figuras extrañas, velas de todos los colores y estampitas. Aterrada, fue a hablar con Ángel y le dijo que se iba. Prefería volver a la calle antes que compartir el techo con una "umbandista barata y asesina".

Al otro día, Carmen ya estaba buscando un nuevo lugar para vivir.

Cándida llegó a un acuerdo con Víctor: le conseguiría otra mujer para que trabajara en su lugar y atendería, a veces, a alguno de los clientes que siempre la buscaban. En ese caso, le seguiría pasando la comisión habitual. Su idea era no volver a trabajar de puta, pero propuso ese trato para evitar que Víctor le hiciera mayores problemas.

Apenas se fue la peruana, Cándida se apropió del hogar. Compró muebles nuevos, contrató a una mujer para que la ayudara con la limpieza y cambió totalmente el menú familiar.

A Ángel lo convencía para que salieran casi todas las noches: iban al cine, al teatro, a comer afuera, a tomar café, a comprar ropa.

La pareja funcionaba. Él estaba feliz por tener una mujer treinta años menor, atractiva, simpática y llena de vida. Además, la había rescatado de la calle, lo cual lo hacía sentir generoso e importante. Cándida estaba experimentando la vida como ama de casa, y le gustaba tener un hombre que se preocupara por ella, le pagara los gastos, la cuidara y no le cobrara nada a cambio.

Poco después, en abril de 2004, se casaron por civil. No hubo ni un solo invitado.

Una tarde, Cándida se encontró con una amiga de Paraguay. Por ella se enteró de que un ex novio suyo la estaba buscando. Entusiasmada, organizó una cita. Poco después, Cándida se encontraba con su ex y empezaba a verlo de manera clandestina. Para salir le decía a Ángel que tenía un pariente enfermo a quien debía visitar. El ferretero se apiadaba y le daba dinero para que pudiera comprarle remedios y pagarle enfermeras. Poco después, ella se inventó un hermano herido en un tiroteo en el que, supuestamente, habían intentado robarle.

Cándida seguía viéndose con el ex y además había vuelto a atender a uno que otro cliente para ahorrarse unos pesos y recibir regalos. Sus excusas para salir se hacían más y más burdas e increíbles. Ella había advertido, también, que además de permitirle salir, las excusas eran redituables: con sus intentos lograba siempre que Ángel le diera algo de dinero para afrontar los tristes gastos familiares.

Unos meses después ella iba y venía de la casa como si se tratara de un hotel: llegó a anunciar que tenía que viajar a Corrientes para ver a una bruja que le cortara el maleficio que, supuestamente, le había preparado Carmen. Otra vez tuvo que viajar a Paraguay porque a unos tíos se les había incendiado la casa. La explicación sobre el origen del incendio fue chapucera y ridícula: "¡Les cayó un rayo en el techo y se les prendió fuego todo! No les quedaron ni los muebles, ¿podés creer?".

Ángel necesitaba creer y le creía. Y si no le creía, al menos soportaba la situación en silencio. A sus amigos les contaba parte de la historia y les decía que, si bien le pasaban cosas raras, su mujer era honesta y lo trataba bien.

Preocupado por la conducta de su esposa y por los problemas de dinero, el rendimiento sexual de Ángel disminuía día tras día. Cándida hizo todo lo posible para arreglar las cosas pero no pudo. A ella su marido le daba pena y le enternecía, pero su prioridad seguía siendo su propio bienestar.

A Ángel lo cuidaba, lo escuchaba, lo alentaba en lo que podía, pero no por eso dejaba de salir con otros hombres ni disminuía los gastos ni dejaba de mentirle ni de sacarle dinero. Le estaba agradecida, pero consideraba que su propia presencia ya era una retribución importante.

Una noche, sin embargo, tuvo la idea de que si ya no tenían sexo, él la abandonaría. Toda su vida creyó que los hombres estaban con ella por una cuestión puramente sexual, por lo cual la impotencia de Ángel le resultaba inquietante. Decidió corregir la situación y lo convenció para ir a un instituto dedicado al tratamiento de disfunciones sexuales.

87

Ángel accedió después de muchas negativas y fue a la primera entrevista como quien va al matadero. Avergonzado, escuchó cómo su nueva esposa contaba su caso con todo detalle. La propuesta del profesional fue colocarle una prótesis peneana. La intervención se hizo poco después y fue una de las experiencias más traumáticas que le tocó vivir a Ángel.

La cuestión sexual tuvo una leve mejora y los dos quedaron más tranquilos.

Pero la ferretería no era un negocio tan floreciente como para afrontar los nuevos y permanentes gastos. Ángel no decía nada pero empezó a atrasarse con el pago del alquiler y otras cuentas.

Para Ángel, los problemas económicos eran una terrible novedad. Jamás había dejado de pagarle a nadie, y la situación lo angustiaba y lo volvía malhumorado y antipático. Cándida, que era tremendamente susceptible al humor de los otros, se sentía ofendida y decepcionada. "Me tratás mal porque ahora me mantenés", le echaba en cara ante el primer inconveniente.

A esa altura, él estaba perdiendo la paciencia. Ya no estaba dispuesto a seguirle el ritmo a su mujer ni a obedecer sus designios. Empezó por pedirle a Cándida que restringiera los gastos de la casa y armó un plan de ahorro que cortó de cuajo todas las salidas. Tampoco le permitió a ella seguir visitando parientes con tanta asiduidad.

Como casi no tenía actividades y se cansaba de no hacer nada, Cándida pensó una solución para seguir obteniendo dinero: si Ángel ya no se lo daba por voluntad propia, había que buscar otra manera.

Una tarde, le sugirió al marido que se quedara durmiendo la siesta porque ella abriría la ferretería y se haría cargo de atender a los clientes. Ya lo había hecho otras veces, y a Ángel le pareció una buena idea. Pero un rato más tarde Cándida irrumpió en el cuarto de él, a los gritos. "¡Me robaron! ¡Nos acaban de robar! ¡Llamá a la policía!" Indignado por la inseguridad de su barrio y su país, Ángel acompañó a la esposa a la comisaría.

Hubo un segundo robo pocos días después. También hicieron la denuncia. Cándida describía a los asaltantes ante la mirada escéptica de los policías, que le preguntaban, entre sonrisas irónicas, si habían sido los mismos ladrones que la vez anterior. Ángel miraba para abajo y sufría. Esa misma noche apareció la dueña del local para reclamar el alquiler y, mortificado, él le contó lo de los robos sucesivos. La dueña vio que estaban solos y le preguntó si no le parecía raro que siempre le robaran a su mujer cuando él no estaba. Ángel se limitó a contestar que en unos días más iría a pagarle el alquiler, peso sobre peso.

Poco a poco, Cándida convenció al marido y volvió a salir sola. Los vecinos de Ángel la veían salir varias noches por semana, muy maquillada y con ropa ajustada y escotada. Ella seguía diciéndole al marido que tenía que socorrer a parientes y amigos: "Si yo no ayudo a los míos, me siento una porquería", explicaba con aire sincero. Un día, apenas ella salió de la casa, un vecino fue a verlo y a alertarlo. Le dijo que la actitud de la mujer era sospechosa y que era evidente que le estaba sacando dinero. Ángel le contestó que él ya era un hombre adulto como para saber qué era lo que tenía que hacer.

La verdad es que estaba desolado. Separarse de su mujer era admitir que había sido un imbécil y que había caído en la vieja trampa en la que caen muchos ancianos

89

desvalidos. De ninguna manera quería transmitir esa imagen penosa ante sus vecinos. Se dispuso, entonces, a reformar a su mujer. Cuando volvió una noche le dijo que por un tiempo le prohibía salir, usar ropa ajustada y maquillarse. Cándida estaba asombrada. Ángel le despertaba cariño siempre y cuando le dejara hacer su vida, le hiciera regalos y le ofreciera un amor incondicional. Pero el hombre exigente y severo que le hablaba en ese momento le producía rechazo. Pelearon como nunca. Él advirtió que su idea de amaestrar a su mujer era ingenua e impracticable. Tendrían que separarse y se lo dijo, brutal. "Armá tu bolso y volvé a la calle".

Las cosas no eran tan sencillas. Ángel y Cándida no eran una pareja de amantes casuales: estaban casados. Ella se lo recordó, odiándolo y jurando que le haría la vida imposible. Ese mismo día recibió el llamado de un cliente y fue a verlo. Se vistió con la ropa más provocadora que encontró y salió. A la vuelta, él estaba encerrado en su cuarto, durmiendo. Ella se acostó en la habitación que había sido de Carmen y no se despertó hasta el mediodía siguiente. Fue a la ferretería y encontró a Ángel atendiendo el mostrador. Se sentó al lado y se puso a fumar. En cuanto el cliente se fue, Ángel le dijo a su mujer que ya tenía un abogado dispuesto a tramitar el divorcio. "Porque yo no vivo con putas", agregó.

Cándida salió de la ferretería y se fue directo al patio interno, donde tenían una heladera. Frenética, la desenchufó y empezó a lavarla y a fregarla. Sacó lo que había adentro, incluyendo cajones y estantes, y dejó todo en el piso. Fue a un cuartito donde se guardaban las cosas de limpieza y buscó baldes, esponjas y lavandina. En eso estaba cuando Ángel apareció de atrás y pateó uno de los baldes vacíos que ella había dejado. "¡Guardá todo y andate, ladrona!", le dijo, hiriente. Cándida se acercó a una mesa donde había dejado una hilera de cuchillos de asado y se tiró encima de su marido, feroz. Le clavó el cuchillo en la espalda tres veces seguidas. Cuando Ángel cayó, de costado, le volvió a clavar el cuchillo otras cuatro veces, pero en el pecho.

Mientras Cándida terminaba de acuchillar a su marido, un hombre entraba a la ferretería a comprar enchufes para un edificio que estaban construyendo a la vuelta.

La puerta del negocio estaba abierta y el hombre entró. Como no había nadie para atenderlo, se asomó. Sabía que el ferretero debía estar ahí adentro porque él había pasado diez minutos antes para comprar tornillos. Estiró el torso por encima del mostrador y alcanzó a ver un costado del patio donde había una mesa con cuchillos y tenedores. Escuchó una especie de jadeo, como de alguien cansado por un fuerte esfuerzo físico. Golpeó las manos para llamar. El jadeo se detuvo y vio aparecer una mujer ensangrentada, que empezó a gritar, histérica. Cándida tenía un aspecto aterrador. Entró a la ferretería y encaró al cliente. Le preguntó si había visto a los dos hombres que acababan de matar a su marido. Después corrió a la puerta y empezó a pedir ayuda.

Cándida no pudo convencer a la policía de que dos delincuentes habían entrado para robar y matar a su marido.

Un hombre humilde que se ganaba la vida cuidando los autos estacionados en la cuadra negó que dos personas hubieran entrado o salido del negocio.

Los policías que investigaron el caso encontraron una pila de bolsas de polietileno al lado del cadáver. Sostuvieron que Cándida había actuado con premeditación, y que la heladera vacía, los baldes, la lavandina y las bolsas indicaban que iba a trozar el cadáver de su marido y colocarlo en el freezer, hasta tanto pudiera desprenderse de él.

Al fin, Cándida confesó su crimen pero dijo haber actuado "sin entender nada, como enceguecida". Los psiquiatras forenses que la atendieron aseguran que la mujer era plenamente consciente de sus actos en el momento del crimen.

Cándida fue acusada de homicidio agravado por el vínculo. Está detenida esperando el juicio oral. Sabe que no tiene posibilidades de quedar en libertad. "De ésta no me salvo. De la calle a la cárcel, como los pobres", le dijo, con ironía, a su amiga del Paraguay. Y le pidió galletas de chocolate y maquillaje.

Laura M.,
pirata del asfalto

Los códigos carcelarios eran un misterio para Cecilia R., alias Chuchi. Por eso, cuando ingresó al Servicio Penitenciario de Los Hornos, creyó que todo estaba perdido. Nunca saldría viva de esa cárcel inhóspita con olor a baño y a humedad y con un enjambre de mujeres hostiles que pugnaban por golpearla, violarla y robarle la ropa. Perdida, en pleno desmadre emocional, vio que una presa vestida de hombre y con el pelo rapado ponía orden con dos gritos guturales. En un instante todas quedaron paradas en el lugar en el que estaban, y después de mirar por última vez a la víctima potencial, se alejaron unos metros y empezaron a charlar entre sí.

La presa vestida de hombre era Laura M., también conocida como Nono, y era la que mandaba en ese pabellón. Se había ganado su estatus a golpes y amenazas. Había roto varias narices y hecho volar varios dientes. Un par de las que intentaron desbancarla resultaron tan golpeadas que terminaron en la enfermería o en el hospital.

Las guardiacárceles no intervenían en los asuntos internos de las reclusas, ni en sus peleas ni en sus manejos particulares para resolver conflictos e imponer orden.

Esa mañana, Laura decidió que Cecilia, la nueva, sería su novia. La determinación era inapelable. Laura se acomodó el pantalón, escupió a un costado y caminó hacia donde estaba Cecilia en un rincón, con los ojos muy abiertos, tratando de contener el temblor de su mandíbula. "Vos venís conmigo. Y si alguien te toca un pelo, la hago mierda".

Cecilia se mordió el labio inferior. Se dio cuenta de que esa mujer con aspecto masculino sería su protectora: era obvio que todas la respetaban. Pero advirtió también que esa protección no sería gratis. Si tuvo alguna duda, todo quedó claro cuando Laura la agarró de la mano y la arrastró hacia los baños. "Todas afuera, ¡que no me joda nadie!" Cecilia no ofreció resistencia.

Laura tenía treinta y dos años y ya era una abonada a la cárcel de Los Hornos. Había entrado por primera vez a los veintidós, condenada a tres años por robo de automotores. Pocos días después de salir se conectó con otra banda y siguió robando vehículos. Unos meses más tarde volvió a caer. Tuvo que pasar otros cuatro años en la cárcel. Al salir se unió a un grupo de piratas del asfalto y se dedicó a robar camiones de caudales. La cárcel la había vuelto audaz y agresiva, aunque demasiado confiada. Su liderazgo carcelario le hizo creer que era la mejor, la más inteligente, la más fuerte, la más valiente. Pero fue detenida en plena toma de rehenes, en Bella Vista, con armas de guerra y a punto de volarle la cabeza a un policía. Le dieron ocho años más. Nono tomó su condena con naturalidad: la vida consistía en eso, estar afuera o estar adentro.

Había períodos para una cosa y para la otra. Su propio padre, a quien ella apenas conocía, vivía de la misma forma. Había, además, otra cuestión. Cuando formaba parte de las bandas que salían a robar, a ella jamás le permitían encabezar el grupo. Siempre había hombres, por lo general autoritarios pero inoperantes, que tomaban todas las decisiones. La cárcel, en cambio, le permitía afianzar un liderazgo férreo que afuera le era negado.

Cuando llegó a Los Hornos, Cecilia recién había cumplido diecinueve. El día en que fue detenida estaba acompañando a su marido, el padre de su bebé de diez meses. Habían salido a robar, con dos amigos en común, cuando uno de los asaltados intentó resistirse. El marido de Cecilia lo mató de dos tiros en la cabeza, y mientras todos corrían hacia un auto para desaparecer, llegó la policía. Cecilia fue condenada a cuatro años de prisión.

Nunca antes se le había cruzado por la cabeza la idea de estar en una cárcel. Por eso, cuando se enfrentó al grupo de mujeres violentas con las que tendría que convivir, decidió ampararse bajo el ala protectora de Nono. Por otro lado, tampoco tuvo mucho margen para elegir: cuando vieron el interés de Nono por Cecilia, las mismas presas dejaron libre la cancha. Nadie se animaba a ser un obstáculo en las ambiciones de la ex pirata del asfalto, una maestra para vivir en la cárcel.

El primer encuentro en el baño del penal fue aterrador. Cecilia lloró y lo primero que dijo fue que no le gustaban las mujeres. "Nadie te preguntó", fue la respuesta de Laura mientras le arrancaba la ropa a manotazos. Sin embargo, un instinto de supervivencia providencial logró que Cecilia se sobrepusiera al espanto y pudiera adaptarse a su nueva realidad. Unas semanas más tarde, Laura se había convertido en su amiga íntima, la mujer que le garantizaba la mejor comida, cigarrillos, tarjetas de teléfono para hablar con su familia, ropa limpia y seguridad.

Por supuesto, la relación entre las dos era desigual. Cecilia estaba en clara desventaja en cuestiones prácticas: era físicamente más débil y no compartía ni un ápice del poder carcelario de su amiga. Pero Nono soportaba una inferioridad de otro tipo: era, emocionalmente, la más dependiente. En otras palabras, era la más comprometida de las dos, la que más quería a la otra. Así, la pareja subsistía en un equilibrio precario, hamacándose entre el poder real de los hechos y el poder virtual de las emociones.

Con ese esquema cada vez más establecido, Cecilia acataba las órdenes de su nueva novia y soportaba las frecuentes escenas de celos que surgían sin grandes motivos. La primera se desató porque Cecilia le había preguntado a una presa acerca del funcionamiento de un calentador eléctrico. Laura apareció en el mismo momento en que la otra la ayudaba y Cecilia preparaba una taza con una bolsita de mate cocido. Apenas llegó, Laura le dio una cachetada a la supuesta rival y un empujón violento a Cecilia. Después, tiró el calentador contra una pared, pateó una silla y empezó a caminar de un lado al otro, enfurecida. Varias presas más se acercaron a ver la escena, quedándose a una distancia prudencial que les permitiera salir corriendo ante la primera agresión. Una guardiacárcel se asomó por una puerta, alertada por los ruidos: "Tranquila, Nono", fue la única recomendación antes de seguir de largo. Nono respiró hondo, dilatando los orificios de la nariz y apretando la boca, y gritó a su audiencia: "Nadie me la va a sacar, hijas de puta. ¡Me la sacan y las mato!".

Cecilia se quedó tirada en su catre sin hablar, asustada, pensando que cabía la posibilidad de morir en manos de cualquiera de sus compañeras sin haber podido jamás reencontrarse con su hijo.

Esa noche, cuando Nono se metió en el catre de Cecilia, la encontró llorando. La abrazó y le explicó que la vida era más dura de lo que parecía, y que había cosas por las que llorar no valía la pena. "Además, no es para tanto. Y hay que aprender, hay que curtirse, Chuchita". Pasó enseguida a contarle que cuando ella misma era chica tampoco sabía manejar el calentador de la casa para hacerse la comida. Su madre, amargada por la ausencia del padre, preso la mayor parte del tiempo, se desquitaba maltratando a sus hijos. A ella, entre otras cosas, la obligaba a cocinar y se reía al verla quemarse en sus intentos por prender las hornallas. Rencorosa, Laura le mostró a Cecilia las quemaduras en los brazos. "Acá tengo las marcas, ¿y qué? ¿Alguien se murió por eso? Yo no sabía prender los fuegos y me arreglaba sola, no iba a pedirle ayuda a nadie, como vos", le recriminó. Sin embargo, el recuerdo de su madre riéndose de ella en la cocina la superó. "Fue una de las pocas veces que la vi llorar", le contó después Cecilia a su madre.

Laura tenía un hijo de casi tres años. Según le explicó a una amiga, había quedado embarazada la noche misma en que habían robado un camión de caudales. Fue para ella un robo glorioso: había conseguido la información exacta que necesitaban para interceptar el camión y había jugado un papel decisivo a la hora de abordar al conductor del vehículo. Se sentía orgullosa de su profesionalismo. Un par de horas después del robo, ya estaba bañada y dispuesta a salir con una novia ocasional, cuando uno de los cabecillas de la banda la convenció de salir con él a tomar unas cervezas. Fueron. Ella tomó varias botellas y casi al amanecer se pasó al whisky, eufórica.

Su compañero se ofreció para llevarla a su casa. En el auto empezó a besarla. Ella tenía muy en claro que no le gustaban los hombres, pero esa noche estaba plagada de buenos presagios. Además, la condición privilegiada de su amigo dentro de la banda significaba mucho para ella: lo revestía, inclusive, de un encanto particular. Empezaron una relación que no duraría más que un par de meses, hasta que fue detenida en otro robo. Ella no se había dado cuenta de que estaba embarazada hasta que estuvo en la cárcel. Pero en cuanto se enteró, se dijo a sí misma y les dijo a los demás que ese hijo tendría buena estrella porque había sido concebido en un momento de suerte y de éxito laboral.

Cuando el bebé nació, su hermana y su madre fueron a visitarla y le dijeron que lo mejor sería que criara al hijo en la cárcel durante los primeros meses. Ellas lo criarían después. Pero a una semana del parto, Laura advirtió con angustia que se estaba encariñando con ese bebé minúsculo que pasaba el día prendido a su teta. Se conocía bien y conocía el sufrimiento familiar con todo detalle: supo entonces, con certeza absoluta, que si su hijo permanecía con ella más tiempo, después sería insoportable la separación. Ese mismo día llamó a su madre y le pidió que fuera a buscar al bebé. "No lo aguanto más", dijo, con gesto de fastidio. Jamás le hubiera confesado a su madre que la separación prematura de su hijo era producto del amor y no de la indiferencia maternal. Su madre tomó las cosas a la ligera. "Me imaginé que vos con un hijo no ibas a poder. Tu hermana y yo lo vamos a cuidar". Laura miró a su madre y le advirtió: "Si lo tratás como me trataste a mí, te pego cinco tiros en la cabeza. Y yo no miento".

Los primeros meses de romance entre Chuchi y Nono fueron más o menos apacibles. Cecilia vivía en un mundo carcelario irreal, preservada de las agresiones de sus compañeras por Nono, que la trataba como a una esposa frágil y un poco inútil. Sin embargo, se daba cuenta de que Cecilia era una presa que muchas otras querían conseguir. Para empezar era muy joven: con su flequillo corto y sus ojos grandes aparentaba menos que sus diecinueve. Los treinta y dos de Nono, en cambio, eran apenas un dato cronológico que sus arrugas y su rictus amargo desmentían: ya llevaba un total de diez años en la cárcel, diez años que incluían alcohol, cocaína, peleas, tiroteos, comida insalubre y amigos muertos.

Laura vivía obsesionada por Cecilia. Le parecía que una mujer tan atractiva y joven no podía conformarse con alguien como ella. Creía, además, que así como ella estaba enamorada de "Chuchita", todas las demás también deberían estarlo. Un día decidió que no soportaba que las otras presas hablaran con su novia en el patio, ni siquiera que la miraran. Pensó en prohibirles que se le acercaran, pero decidió que sería más fácil y controlable prohibirle a Cecilia las salidas al patio. Cecilia accedió sin protestar: esa semana había podido mandarles dinero a su hijo y a su familia porque Laura se lo había dado.

Laura era la única presa que tenía tanto dinero en efectivo. De hecho, en la cárcel se decía que por mes recibía bastante más que el director del penal.

Dos ex compañeros de su banda que no habían caído presos eran los encargados de mandarle plata, comida, ropa y hasta armas blancas y cocaína. Laura guardaba tres cuchillos, un soplete y varias tenazas y pinzas. Por varios motivos, las autoridades del penal no le confiscaban ninguna de sus pertenencias y la dejaban hacer. Entre otras cosas estaban convencidas de que era mejor mantenerla tranquila que alborotada.

Un sábado, el día de visitas, la madre y la hermana de Cecilia llegaron con un chico de unos veinte años. Mientras Laura recibía a un amigo que había ido a llevarle ropa, miraba de reojo el rincón donde su novia recibía a los suyos. Advirtió que Cecilia trataba a su visitante masculino con mucha familiaridad. Se controló para no intervenir en ese momento, pero cuando todos se fueron, Laura estalló. Le preguntó quién era el que la había visitado y mientras Cecilia le explicaba que era un amigo del barrio, le dio una trompada en plena cara. Nunca antes le había pegado y, aun sabiendo del temperamento violento de su amiga, ella había creído que estaba a salvo. Esa noche Cecilia se acostó sola en su catre. Laura estuvo acuclillada en un rincón, haciendo dibujos en el piso con unas tizas de colores.

El sábado posterior al golpe, Cecilia tenía un ojo morado. Su madre, su hermana y su bebé habían ido a visitarla. La madre preguntó por el moretón pero Cecilia ya tenía preparada la respuesta: un resbalón y una caída. Antes de que todos se fueran, apareció Laura para saludar. Se presentó sola y envió señales inequívocas de que era la pareja de Cecilia. Le extendió los brazos al hijo de su novia y lo sostuvo. "Yo también tengo uno", contó. "Pero no quiero que venga a este lugar". Después se despidió y antes de irse anunció que, cuando las dos salieran, los chicos serían grandes amigos.

Cuando la hermana y el hijo de Cecilia ya estaban caminando hacia el pasillo de salida, la madre acarició la cabeza de su hija y miró para todos lados, como comprendiendo las dificultades de vivir encerrada en la cárcel. Y antes de que Cecilia pudiera decir nada, habló ella: "Ya sé, te juntaste por necesidad". Después repetiría el concepto de necesidad a todo el que mencionara que su hija Chuchi tenía una novia mujer.

La obsesión sentimental de Laura iba en aumento y se había convertido en una pesadilla para Cecilia. Cada día que pasaba en el penal era una tortura. Había llegado el punto en el que sus compañeras de prisión ni siquiera intentaban acercársele por miedo a las represalias de Laura.

Cecilia tenía la piel amarillenta, por la falta de sol y de aire, ya que nunca había podido volver al patio. Y cada vez que recibía cartas de su hermana en las que contaba al detalle los progresos de su hijo, se tiraba en el catre, apagaba la radio y se tapaba íntegra con una frazada. Laura se quedaba viéndola, y a cada rato la destapaba para ofrecerle café, mate o galletas. Cuando Chuchi se negaba a comer, Nono Laura, como habían empezado a decirle las guardias, se impacientaba. "Yo también tengo un hijo y no lloro. Bancátela que falta poco". Y entonces solía sacar de un bolsillo del pantalón unos cuantos billetes y se los tendía. "Tomá, decile a tu familia que le compre algún juguete al pibito. Pero no llores más, que no arreglás nada".

Chuchi agarraba los billetes y empezaba a quejarse por la injusticia de estar presa cuando en realidad el culpable era su marido. Nono la cortaba en seco. "Ya estamos acá. De lo que pasó afuera, olvidate. Mejor no contar ni preguntar". Si Chuchi seguía protestando, Nono usaba una fórmula habitual: "Si querés, cuando estemos afuera, a tu ex te lo reviento".

Laura sabía que saldría en libertad a mediados de 2004, y que su novia quedaría presa por lo menos seis meses más. La idea la enloquecía. Empezó a hablar una por una con sus compañeras de pabellón, prometiéndoles dinero a cambio de proteger a Cecilia en su ausencia y no tocarle un pelo. Llamó a la gente de su banda y cometió la audacia de amenazarlos: inventó que un grupo de policías sospechaba que habían participado con ella en el último asalto al blindado. "Los tienen marcados", mintió. "Y yo los voy a cubrir, pero necesito guita para que no me jodan a la pendeja".

La semana antes de irse, estaba desesperada de celos. A Cecilia le hacía escenas públicas memorables. Una vez, en medio de una requisa, estalló. "¡Te la pasaste llorando por boludeces y ahora no llorás! ¡¿No te importa que me voy?!" Una presa que había entrado hacía poco menos de un mes escuchó a Laura y miró a Cecilia, que estaba parada junto a una pared. Cecilia, con curiosidad, le devolvió la mirada.

Las guardias pararon el griterío. "Nono Laura, tranquila, que ya casi estás afuera".

Cuando las dos se quedaron solas en una celda, Nono revolvió entre sus cosas y sacó un soplete. Sin decir una palabra se tiró encima de Cecilia, le trabó los brazos para que no pudiera defenderse y le quemó la mano derecha. Aun antes de sentir el olor a carne quemada, Laura sabía que ese arranque de celos podía arruinar la relación con su novia. Pero no pudo evitarlo. La necesidad de lastimar a quien la hacía sufrir era más fuerte.

Cuando la escuchó gritar y pedir ayuda, dejó el soplete. Estaba triste pero más tranquila.

La despedida fue corta y tímida. Hubo una especie de homenaje a Nono por parte de las presas del pabellón

—del que Chuchi no participó— y un abrazo final y solitario entre las dos. Nono prometió ir a visitarla todos los sábados, y Chuchi no dijo nada: se dejó besar y asintió con la cabeza ante cada recomendación de su novia.

Al salir, fue directamente a la casa de su madre. Lo primero que hizo fue acercarse a su hijo, que le sonrió pero no se dejó abrazar y salió corriendo a jugar con una bicicleta. Laura se dio cuenta de que no podía pretender que ese chico la considerara como la madre que no había sido nunca. La estaba tratando como lo que era en realidad: una desconocida a la que veía en una única foto gastada, y que —según todos sus compañeros de escuela— había salido en los diarios por robar camiones.

La madre de Laura vivía con su nieto y su otra hija, que se había separado hacía pocos meses. Ni la madre ni la hermana le habían preparado ningún recibimiento. Laura fue a la heladera y la madre le advirtió que iba a tener que pagar cada cosa que consumiera. La hermana le dijo que lo mejor sería que se buscara un trabajo decente y que las ayudara a pagar el alquiler.

Laura era una mujer dura pero no esperaba tanto desapego. Salió de la cocina furiosa y fue a comprar cervezas. Pero antes decidió que merecían una venganza sutil. Miró a su madre y a su hermana y les anunció que iba a hacerse cargo de los gastos pero que también llevaría a vivir a su novia a la casa.

La madre tomó el dato con indiferencia; a fin de cuentas poco le importaba con quién dormiría su hija. La hermana, en cambio, hizo un escándalo. A los gritos le dijo que le daba vergüenza tener una hermana como ella. "Chorra y encima tortillera", le recriminó. Laura dio un portazo y salió. Fue a un kiosco, tomó unas cuantas cervezas y fue a comprar regalos para Chuchi.

Tal como estaba previsto, Laura tuvo que esperar poco más de seis meses hasta que también liberaron a Cecilia. En ese tiempo fue todos los sábados a visitarla, llevarle comida y pagar la buena conducta de sus compañeras.

Laura encontraba a Chuchi taciturna y algo fría. No le había perdonado la quemadura con el soplete y no perdonaría nunca. Sin embargo, era amable y dócil. En algún punto estaba agradecida a Laura por haberla protegido del resto de las presas, y por seguir protegiéndola.

La madre y la hermana de Cecilia, y hasta su hijo, aceptaban de buena gana la presencia de Laura. En los días de visitas se reunían todos juntos y al final Laura los acompañaba a su casa. Siempre les daba dinero y muchas veces aparecía a visitarlos los domingos por la tarde llevando enormes bolsas de alimentos comprados en un supermercado de la zona.

Poco a poco Cecilia fue aceptando con naturalidad que todos ellos formaban algo parecido a una familia. Laura le había dicho que irían a vivir a su casa porque en la de Cecilia no había un cuarto libre para las dos.

El día en que liberaron a Cecilia, Laura fue a esperarla al penal con una caja de alfajores de dulce de leche. Pocos días antes había comprado un auto con el dinero que sus ex cómplices le iban dando cada quince días en pago por su silencio.

En el auto puso la radio con el volumen altísimo y se dedicó a manejar mirando de reojo a su novia, que comía los alfajores con ansiedad. Sin embargo, ninguna de las dos estaba feliz. Cecilia no sabía cómo iba a volver a conseguir un trabajo, ni cómo la iba a recibir su hijo ni qué iba a hacer con una novia golpeadora a la que ahora ya no

106

necesitaba. Laura sufría porque su hermana la hostigaba con el tema de su homosexualidad y porque advertía que fuera de la cárcel no iba a ser tan sencillo tener controlada a Cecilia. Mientras miraba la ruta y le tocaba la rodilla a su novia pensaba que ese momento perfecto estaba a punto de saltar en pedazos. "A la larga, todo se me pudre", solía decirles a sus amigos. Y tenía razón.

Durante las primeras semanas, Cecilia pasaba el día en su casa, con su madre y su hijo. A la tarde llegaba Laura y tomaban mate en familia. A la noche se iban las dos a dormir a lo de Laura.

Pero la hermana de Laura le hizo entender a Cecilia que su presencia no era bienvenida. No la saludaba y la insultaba por lo bajo en cuanto se cruzaban. Cecilia no soportó la situación y le anunció a Laura que no volvería. Empezaron a citarse en un bar de San Isidro hasta que una tarde Cecilia no fue a la cita. Estaba harta de las escenas de celos permanentes y pensó que la mejor manera de deshacerse de Laura sería cortando la relación poco a poco. Fue peor. Laura esperó a Cecilia durante horas, llamando a su casa cada quince minutos y al final hasta fue a hacerle guardia a la puerta. Casi a las diez de la noche la vio llegar con una prima. Habían ido a un shopping a hacer unas compras. Laura, obsesionada por su novia, no podía entender que los sentimientos de una y otra fueran tan diferentes. Ella jamás hubiera cambiado una tarde con Cecilia por una tarde en el shopping. Y para esa realidad tan sencilla e indiscutible no había solución. Volvió a su casa histérica, se tomó varias botellas de cerveza, peleó ferozmente con su hermana —la responsable por la ausencia de Cecilia— y salió a conseguir un par de teléfonos celulares. Al día siguiente le llevó uno a Cecilia envuelto para regalo. Ella lo aceptó a regañadientes, sabiendo que era una estrategia obvia para controlarla.

Unos meses después Cecilia seguía sin conseguir trabajo. Dependía económicamente de Laura, lo cual la obligaba a mantener la relación. Además la quería y estaba agradecida por la incondicionalidad de su novia, pero estaba harta de sentirse vigilada y había recordado, sin lugar a dudas, que le gustaban los hombres.

Se encontraban siempre en el mismo bar y dormían, una o dos veces por semana, en casa de Cecilia.

Laura se daba cuenta de que la relación estaba en crisis, y un día decidió usar sus contactos para ayudar a su novia a conseguir trabajo. Pensó que ese detalle la conmovería y lograría bajar la tensión entre las dos. Una semana después, Cecilia había entrado en un bingo.

Una noche, mientras Cecilia estaba jugando con su hijo, Laura revisó el teléfono celular de su novia y se fijó en las llamadas que había recibido. Había cuatro llamadas de alguien que figuraba como Juan. Ella marcó el número y preguntó por él. Le dijo, ahogada por la rabia, que era la novia de Cecilia, y que estaban juntas desde la época en la que las dos estaban presas en Los Hornos.

Juan era un chico de veintiún años que Cecilia había conocido en su nuevo trabajo. Ella vendía fichas y él iba todos los días a jugar con las máquinas tragamonedas. Habían empezado a salir, pero Cecilia no le había contado nada de su pasado.

Laura cortó y fue corriendo a pelear con Cecilia, que estaba durmiendo a su hijo. Esperó a que terminara y, conteniendo la furia, la invitó a tomar un café fuera de la casa. Apenas salieron estalló. Le preguntó por Juan, y le contó que lo había llamado por teléfono. "Le habías mentido, como a mí, pero ahora sabe todo", le dijo, a los gritos, en medio de la calle. Para Cecilia ésa era la oportunidad de terminar. El alivio de imaginarse libre de Laura pudo más que la rabia por haber sido desenmascarada ante Juan. Envalentonada, admitió que estaba saliendo con ese hombre y que prefería no volver a verla nunca. Como respuesta recibió una trompada que la tumbó de espaldas. Dio la cabeza contra el cordón de la vereda y se desmayó. Laura, furiosa, salió corriendo. Los vecinos ayudaron a Cecilia y la llevaron al hospital, donde le cosieron la herida. Su madre lloró con ella en la sala de emergencias. Cecilia le contó entonces que todos los golpes que había tenido en los últimos tiempos no habían sido accidentes sino palizas de Laura.

Al día siguiente, Laura fue a ver a Cecilia a su casa. La madre le dijo que no volviera porque llamaría a la policía.

Laura no sabía vivir sin su novia. Caminaba durante horas, tomaba cerveza, no comía y pensaba todo el tiempo en suicidarse. Llamaba a Cecilia a cada rato, pero el teléfono casi siempre estaba desconectado, o atendía la madre. Al fin, atendió Cecilia. Laura pidió y suplicó, pero fue inútil: Cecilia le dijo que no la quería más, y que estaba de novia con Juan, que era honesto, paciente y, además, hombre. Laura le juró que la iba a matar y que se iba a suicidar después. Pero Cecilia, enfrascada en ese estado de liviandad que otorga el enamoramiento, no la tomó en serio: empezó a reírse y cortó.

Esa noche Laura durmió con una pistola 9 mm bajo la almohada. Pensó que esperaría hasta la madrugada para pegarse un tiro. No lo hizo: aturdida por tranquilizantes, se despertó a media mañana. Se levantó, fue a un kiosco,

109

desayunó un pancho gigante con una cerveza y fue a buscar a Cecilia a su trabajo. Era la una y media de la tarde. Su novia trabajaba desde las diez hasta las dos.

Ya había imaginado la escena: encontraría a Chuchi con su uniforme, vendiendo fichas, la saludaría y se volaría la cabeza delante de ella, para que quedaran bien en claro su espíritu heroico y la injusticia de esa relación desigual.

Pero las cosas sucedieron de otra manera. Laura llegó al bingo, entró, atravesó un pasillo y encontró a Cecilia, de espaldas, colocando fichas en una máquina tragamonedas. La saludó. Cecilia se dio vuelta, miró a su ex, le dedicó una sonrisa irónica y siguió trabajando. Esa sonrisa fue su gran error. "Cuando vi que se reía de mí —contó después Laura— sentí que no me tomaba en serio, que no me respetaba ni me quería". Entonces, después de esa sonrisa equivocada, Laura sacó la pistola del bolsillo de su pantalón y le disparó tres veces en el pecho, mirándola a la cara.

La gente empezó a correr por todo el bingo. Laura, con mucho cuidado, se acercó al cuerpo de Cecilia. Le volvió a disparar en el brazo y la cabeza. Enseguida se puso de rodillas, le acarició el flequillo y le pasó la mano por los labios pintados de morado. "Mi amor, eras tan linda. Yo te avisé que te iba a matar. ¿Por qué me engañaste?"

La policía llegó pocos minutos después. Laura amenazaba con suicidarse, pero antes quería hablar con su hermana porque ella era la culpable de ese drama pasional. A los gritos decía que no dejaría el arma ni se mataría sin antes mirar a los ojos por última vez a esa traidora. La policía y el fiscal le prohibieron a la hermana acercarse a Laura, y cinco horas después lograron desarmarla.

Llorando, Laura repetía que había matado a Cecilia porque en el momento mismo de verla no le contestó el saludo sino que se burló de ella con crueldad. "Me miró y se rió, como se había reído por teléfono cuando le dije que me iba a suicidar".

Laura M. fue acusada de homicidio simple. Espera su sentencia en la cárcel de Los Hornos. "Me toca volver otro rato", fue lo que le dijo a una de sus antiguas compañeras.

Nélida B.,
tóxica

~•~

Dos días después de haber cumplido once años, Nélida B. tomó un colectivo con rumbo a Buenos Aires. Estaba sola y llevaba una valija casi vacía y una bolsa de nylon con la comida para el viaje. Hasta ese momento jamás había salido de Mar del Plata, ni había dormido fuera de su casa, ni había pasado ningún día lejos de Clara, su madre.

Pero su padre había muerto hacía un mes sin dejar un peso ahorrado. Su madre, obligada a salir a trabajar, pensó que no tenía forma de seguir viviendo con Nélida: la casa estaba en un barrio peligroso, y no quería dejarla todo el día encerrada, sin compañía y sin nada para hacer. La mandó entonces a vivir con Ofelia, la hija mayor, de veintiséis años, una mujer severa y amargada que estaba casada con un militar.

Nélida se sentó en uno de los primeros asientos y no dejó de mirar por la ventanilla durante las seis horas de viaje. Tenía grabada la imagen de Clara, despidiéndola

115

con los ojos mojados, mientras le explicaba que le había preparado una vianda con sándwiches de salame y una manzana. Ella no tocó ni una cosa ni la otra por temor a no encontrar a su hermana y tener que sobrevivir en la calle sin ayuda de nadie.

Por supuesto, eso no sucedió. Cuando el colectivo llegó a Buenos Aires, Ofelia ya la estaba esperando. Con actitud incómoda y distante, la ayudó a cargar su bolso y salieron de la terminal.

Ofelia vivía con Marcos, su esposo militar, en un departamento de tres ambientes diminutos en Almagro. Instaló a la hermana en un cuarto destinado a guardar las cosas viejas y se desentendió de ella.

Su madre le hacía visitas periódicas cada dos meses, sin excepción, y se quedaba con sus hijas durante tres o cuatro días. Cuando estaban solas, Nélida se lamentaba y se compadecía de su suerte. Las quejas siempre eran las mismas: que su hermana la trataba como a una extraña, que le ofrecía una comida diferente y peor que la que comían ellos, y que su cuñado ni siquiera la saludaba. "Ellos comen pollo y a mí me dan polenta y fideos porque dicen que estoy flaca. Además, el marido de Ofelia le dice que yo doy muchos gastos". Las quejas de Nélida terminaban con un pedido desesperado para que la llevara de vuelta a vivir a Mar del Plata.

Clara era inflexible: estaba convencida de que, aun con la discriminación alimentaria, la hija iba a estar mejor en Buenos Aires. "Allá ni siquiera tenés una escuela cerca. La casa está lejos de todo". La madre, además, había crecido con la idea de que el sufrimiento era algo fundamental en la instrucción de los chicos. Sus propios padres se lo repetían hasta el cansancio y ella avalaba la teoría. "Sufrir te hace fuerte", solía explicarle a Nélida en cada visita, como para calmarla.

Cuando estaba terminando el colegio secundario, a los diecisiete años, Nélida conoció a Walter, un vecino del barrio cuyo padre era amigo de su cuñado. Nélida estaba harta de vivir de prestado y pensó que un casamiento apurado podía ser la solución. Walter le llevaba dos años y trabajaba en la pequeña empresa de construcción de su padre.

Nélida, no del todo convencida de su propia idea, consultó la posibilidad con su madre. Clara no tuvo la mínima duda. "Casate ya", fue el consejo. "Después verás cómo hacés para llevarte bien con tu marido".

Walter y Nélida comenzaron un noviazgo anodino que un año más tarde desembocó en boda. Fueron a vivir a Ezeiza, a una casa que les prestó la familia de Walter.

La relación resultó lamentable. Eran dos desconocidos obligados a estar juntos y ser fieles el uno con el otro, cuando en realidad tenían ganas de salir a conocer la vida y a estrenar la independencia recién adquirida. Es verdad que al principio se gustaban pero, básicamente, se habían unido por motivos ajenos al amor conyugal: ella porque quería tener su casa propia y zafar así de una vida de prestado con su hermana y su cuñado, y él porque creía que, estando casado, deberían darle un puesto de mayor responsabilidad —y respeto— en la empresita de su padre. Lograron los objetivos pero nunca, en ningún momento, dejaron de tener presente que el costo de ese matrimonio les estaba resultando muy alto.

Nélida había empezado a trabajar en una tienda como supervisora de empleadas, y pasaba el día fuera de su casa. Walter también salía a la mañana temprano y no volvía hasta muy tarde. Cuando llegaba, su esposa estaba esperándolo con la comida lista. Cenaban en silencio, rápido, esperando el momento de ir a dormir. Mientras comían, Nélida miraba a su esposo con resentimiento: había empezado a recibir un buen sueldo y sentía que la decisión de casarse había sido un absurdo irreparable. Sin la existencia de Walter y con su nuevo sueldo, ella podría vivir y mantenerse sola sin mayores problemas.

Cuando veía a su madre le recriminaba que no la hubiera puesto sobre aviso. En la lógica de la hija, su madre, al ser más experimentada por una cuestión cronológica, debería haberle advertido que algo así podía pasar. "¿No pensaste que yo era muy joven para casarme? ¿No se te ocurrió decirme que esperara un tiempo?" Los reproches caían en saco roto: para Clara, la actitud de revisar el pasado no tenía ningún sentido práctico. El casamiento ya estaba consumado, la libreta firmada y la cama compartida. Ahora había que mirar para adelante y buscar una solución que incluyera el error ya cometido. "Fijate qué podés hacer, estando casada...", le sugería, enigmática.

En la tienda donde trabajaba Nélida habían contratado a Miguel, un gerente de ventas joven, simpático, soltero y atractivo. Cuando lo vio por primera vez, Nélida supo que era el hombre destinado para ella. Se maldijo mil veces por estar casada y haber arruinado de forma tan estúpida y precoz su vida entera. Estaba segura de que, de ser soltera, él la elegiría como esposa. "Ahora ya es tarde", se le quejaba a Clara. "Él se va a casar con otra y yo me voy a quedar en casa aburriéndome y peleando con Walter".

En el trabajo, Nélida y Miguel pasaban mucho tiempo juntos. En parte porque tenían que reunirse por cuestiones de la empresa y en parte porque les gustaba la compañía del otro.

Cada mañana Nélida pasaba una hora entera vistiéndose y arreglándose para su compañero, y cada noche pasaba otra hora llorando frente al espejo, antes de irse a dormir. Se veía linda, y le parecía una injusticia tener que estar casada con su marido. Su lugar, era obvio, estaba en otro lado. Mientras se metía en la cama con Walter, se imaginaba caminando con Miguel en una playa, o entrando con él de la mano al trabajo, o planeando hijos y mudanzas.

Walter, por su parte, advertía que su mujer no era la misma. Sentía también, de manera muy clara, su rechazo. Y como el rechazo genera rechazo, él respondía al maltrato cotidiano de manera hostil y violenta.

Nélida se reponía de la tirantez matrimonial tomando cafés con Miguel y llorando en su hombro. Miguel la acompañaba todo lo que podía, pero no se animaba a acercarse demasiado. "No sé si no le gusto o si es tímido", le decía ella a su madre, a quien le contaba cada detalle de su vida.

Clara seguía manteniendo la regularidad de sus visitas bimestrales, y aconsejaba a su hija con espíritu salvaje. Pretendía que Nélida hiciera todo lo que ella no había podido hacer, y sentía un placer enfermizo al conocer los deslices sentimentales de su hija quien, sin embargo, no había hecho más que cultivar un amor platónico con su compañero. Poco tiempo después, el amor platónico llegó a su fin. Nélida y Miguel decidieron cambiar el lugar de cita para la hora del almuerzo: pasaron de la ensalada en el bar de la esquina a los sándwiches de miga en un albergue transitorio.

Nélida vivía su romance como lo que era: su primer amor romántico. Pese a la oposición tenaz de su madre, intentó romper su matrimonio y formalizar con Miguel, quien a esa altura estaba de acuerdo con blanquear la relación. Clara se puso furiosa. "Vas a arruinarte la vida. Te vas a quedar sin el pan y sin la torta". El razonamiento de la madre era rebuscado: Miguel podía aceptarla pero nunca iba a olvidar que ella había abandonado a su marido. "Se va a asustar. No se va a casar con vos porque va a pensar que si dejaste al otro, también lo podés dejar a él". Le aconsejaba, entonces, que lo mantuviera como amante para poder sobrellevar mejor su matrimonio.

Pese a los argumentos maternos y a sus propios miedos, un domingo Nélida se animó a encarar a Walter. Le dijo, temblando por los nervios, que a los veinte años esperaba llevar una vida mejor, y que ese matrimonio no tenía ningún futuro feliz. Walter se dio cuenta al instante de que había otro hombre en el tablero, y le sacó de mentira a verdad. "Estás con otro. Ya me contaron", mintió. Nélida cayó en la trampa del marido y se puso a llorar como una loca. Confesó todo. Nadie sabe cómo la convenció Walter, pero ese día Nélida dejó de lado los planes de separación.

Poco después, renunciaba a su trabajo y anunciaba que ella y su esposo esperaban el primer hijo.

Walter había decidido continuar con su matrimonio, pero de ninguna manera perdonar. Cada vez que podía le recordaba a la mujer su infidelidad, la humillaba, la trataba de puta y no le dejaba dinero ni para viajar en colectivo. "Si te doy, te vas a ir a coger por ahí", le decía.

Poco después del nacimiento de Facundo, ella quedó embarazada otra vez. En ese tiempo, Nélida se había transformado en una mujer triste y resentida. Las tareas del hogar, el sexo con el marido y hasta el cuidado de los hijos se habían convertido para ella en una carga siniestra que tenía que cumplir a cambio de nada. O, mejor dicho, a cambio de su propia manutención. "Mi vida es como un trabajo de sol a sol", le decía a la madre. Y así como antes había vivido de prestado en la casa de su hermana, en ese momento vivía de prestado con su marido y sus hijos. Nada de lo que tenía la hacía feliz. "Siento que tengo que estar con él y los chicos, y hacer las cosas de la casa, nada más que para que me den techo y comida. Soy una esclava".

Varias veces Nélida había intentado volver a trabajar, pero su marido se negaba. "Si querés trabajar para levantarte a otro tipo, olvidate. De acá no salís".

Una tarde, se encontró con una amiga del secundario en el mercado. Fueron juntas a tomar algo y ahí se quedaron un par de horas. A la vuelta, la esperaba Walter, desencajado. Le hizo un escándalo delante de los hijos, recriminándole una vez más la anterior infidelidad. Esa noche, cuando fue al cuarto de los chicos a dejarles ropa recién planchada, Facundo, el mayor, le preguntó si era cierto que ella había querido abandonarlos para irse con otro hombre. Nélida, odiando al marido con todo su corazón, le dijo la verdad: que esa historia había pasado antes de que ellos hubieran nacido. Después fue a dormir, dándose cuenta de que jamás iba a poder perdonar a Walter por ponerla en evidencia frente a los hijos.

Nélida había leído hacía muchos años que una mujer, en Córdoba, había matado a su marido con veneno para ratas. La diferencia con otros casos similares había sido que, esta vez, la mujer había tardado mucho tiempo en concretar el crimen: para evitar ser descubierta por la policía, le daba el veneno en dosis mínimas. Cada dos o tres días ponía un poco en la comida, para que la muerte fuera gradual: el marido no iba a morir de golpe, despertando las sospechas de todo el mundo, sino que moriría de a poco, como si estuviera sufriendo una enfermedad mortal. Al final la habían descubierto porque le había contado todo a una amiga quien, a su vez, la denunció. Ella, por supuesto, sería incapaz de cometer un error tan absurdo.

Nélida volvió a repasar mentalmente el asunto y resolvió que haría lo mismo que la cordobesa. Su marido merecía morir, y ella merecía rehacer su vida y no terminar podrida en una cárcel.

Al día siguiente fue a comprar veneno para ratas.

La primera dosis de veneno que colocó en la comida de su marido fue insignificante. En el envase había varios carteles indicando la peligrosidad del producto, cuyo componente básico era el talio. Asustada, no tocó el contenido de la caja sino que sacó un poco con un escarbadientes que después tiró a la basura.

Sirvió en el plato habitual varios cucharones rebosantes de sopa de fideos y le agregó esa pizca del polvo azul para matar ratas que había quedado en la punta del escarbadientes. Después, se dedicó a observar.

Lo primero que pasó, a los pocos minutos de haber tomado la sopa con talio, fue que su marido se quejó de tener frío. Nélida lo miró, con curiosidad. Era verdad que hacía algo de frío, pero su marido jamás se quejaba por eso. Enseguida agregó que tenía sueño y que iría a dormir. Ella se asustó: ¿y si iba a dormir y terminaba muerto? Iría presa de inmediato.

Nada de eso sucedió. Nélida se quedó despierta mirando dormir a su marido, controlando su respiración, vigilando sus movimientos. Al día siguiente, Walter se despertó a la hora de siempre, tomó su desayuno con la voracidad habitual y se fue.

Evidentemente, la dosis administrada era insuficiente. Pero si era así como había leído, si el talio era un veneno que se iba acumulando en el cuerpo, entonces su primer intento no había estado tan mal. Podría poner dos pizcas en vez de una y ver cómo reaccionaba su esposo. Era cuestión de experimentar.

Tres días después, Nélida duplicaba la ínfima dosis y la agregaba a un plato de guiso de pollo. Tampoco pasó nada, pero no se inquietó. Tenía que armarse de paciencia porque el plan llevaba su tiempo.

Para cuando puso el talio por tercera vez, Nélida estaba tranquila, alerta y optimista. Dosificaba el veneno con espíritu científico y estaba dispuesta a esperar todo el tiempo que fuera necesario.

Mientras tanto había aparecido otro hombre en su vida. Era el socio de su suegro, es decir, un compañero de trabajo de Walter. Lo había conocido cuando pasaba a ver a su marido por la empresa constructora. Resulta que cuando ella llegaba, Walter, por lo general, no estaba disponible. Casi siempre tenía una reunión con proveedores, o con clientes, o con pintores, o con algún arquitecto. Ella siempre tenía que esperar, a veces durante horas, y es ahí cuando aparecía Luis. Le servía café, le preguntaba por su vida y le contaba historias grandiosas sobre sus excursiones de caza. Hábil con las mujeres, Luis se dio cuenta muy pronto de que la esposa de Walter tenía interés en él. Una tarde la citó en una oficina ubicada a pocas cuadras de ahí. Para Nélida era la situación ideal. La oficina estaba cerca de su propia casa, y ella podría reunirse con él mientras los hijos estaban en el colegio y el marido en el trabajo. Se hicieron amantes.

Nélida y Luis se veían los martes y los jueves, entre las tres y las cinco de la tarde. Una vez más, el vínculo no tenía nada que ver con el amor. Nélida buscaba revancha para su matrimonio desdichado, y una salida para su aburrimiento insoportable. Luis estaba encantado de llevar a su cama a la mujer de uno de los socios, un socio especialmente intratable y soberbio. Y además, Nélida le gustaba. Tenían en común una mirada cínica de la vida y la costumbre innoble de burlarse de la gente a sus espaldas.

Las escapadas periódicas con Luis no le impidieron a Nélida continuar con su plan envenenador. Por el contrario. Estaba más entusiasmada y contenta, por lo cual agregaba el veneno con más optimismo e interés. Ahora sí existía una razón válida para deshacerse de su marido, una razón capaz de justificarlo todo.

Clara, la madre, estaba al tanto de los encuentros de su hija con Luis. Fascinada, escuchaba los relatos de Nélida y hacía sus aportes a la novela romántica: le daba consejos sobre técnicas de seducción y estrategias para evitar el deterioro de la pasión. "Hacete valer, que te espere, que se muera de ganas, que se caliente y te busque él a vos y no vos a él". La hija estaba asombrada por la sabiduría de su madre en esas cuestiones y por eso, poco a poco, la fue tomando como una especie de gurú romántica.

Sin embargo, Clara seguía inflexible en su idea de la separación con Walter. Su opinión en ese aspecto no había cambiado: para ella, el alejamiento de Walter equivaldría a tirar por la borda la relación con Luis. "A los hombres les gustan las mujeres de los otros. Cuando las tienen para ellos solos, dejan de interesarles".

Cuando Nélida escuchaba esos argumentos, se preguntaba si estaría haciendo bien en envenenar al marido. Pero estaba tan harta de él y tan ansiosa por estar con Luis, que seguía adelante con el veneno. Cada tres días —tal como había leído en ese diario viejo— ella aderezaba la comida de Walter con un par de pizcas de talio. A los tres meses, ya se podían advertir los efectos tóxicos: Walter tenía calambres y hormigueos en las piernas y en la región lumbar, alteraciones en la vista, una sed permanente que lo desesperaba, taquicardia y escalofríos.

A medida que Walter iba sintiéndose más y más enfermo, la relación con Nélida empeoraba. El malestar físico había convertido a Walter en una persona absolutamente insoportable. Maltrataba a los dos hijos, insultaba a la mujer y peleaba con los vecinos y con los empleados.

Una tarde, poco después de volver de su cita con Luis, la vecina de enfrente golpeó la puerta de la casa. Cuando Nélida la recibió, la vecina, indignada, le dijo que venía de denunciar a Walter en la policía. Nélida creyó que se trataba de uno más de los habituales encontronazos que protagonizaba su marido con todo el mundo. Un poco avergonzada le preguntó por qué había hecho la denuncia. "Por envenenamiento", fue la respuesta. Ella se quedó muda, aterrada, hasta que la vecina se explayó. "Me mató al gato. El pobre apareció muerto en el jardín de adelante de casa. ¡Diez años llevaba con nosotros! Diez años hasta que vino su marido y lo mató. El veterinario me dijo que está seguro de que le dieron veneno". Nélida entendió todo. Walter llevaba varios meses peleando con esa vecina porque su gato —el gato que ahora estaba muerto— le rompía las bolsas de la basura. "Me había amenazado a mí y ahora mató al ani-

125

mal. Y vine a avisarle nomás, porque la denuncia ya la hice".

Cuando se fue la vecina, Nélida corrió a la cocina, donde estaban los elementos de limpieza. Ahí, en el fondo de un armario, ella guardaba el frasco con el veneno para ratas. Buscó y lo encontró tal como lo había dejado. El alivio fue parcial: de todas formas sintió que estaba frente a una señal nada alentadora.

Apenas llegó Walter, Nélida le contó el episodio de la vecina. Él escuchó y armó una de sus habituales escenas de descontrol. A los gritos insultó a su vecina y a toda su familia y admitió la muerte del gato con un odio desmedido. "¡Gato de mierda! Le di vidrio molido en un trozo de carne, ¿y qué? Todos me tienen podrido".

Nélida, que tenía un cariño natural por los gatos, se indignó. Olvidándose de los malos presagios que la habían inquietado un rato antes, decidió seguir con el plan exterminador. Esa noche, a pesar de que el día anterior ya le había puesto veneno en el café con leche, sacó el frasco de talio y redobló la dosis. El efecto fue devastador. Media hora después, Walter estaba vomitando, se retorcía de dolor y no podía caminar: tenía las piernas totalmente paralizadas. Los músculos de la cara se le habían puesto rígidos. "Papá parece una momia", se asustó Marcelo, el hijo menor, que ya tenía quince años.

Nélida llamó a la madre a Mar del Plata, diciéndole que su marido estaba muy enfermo y que no sabía qué hacer. La madre, sin sospechar nada, le recomendó que llamara a un médico y, si era posible, a la madre de Walter. Ella llegaría al día siguiente.

El médico estaba desconcertado. Supuso que Walter estaba intoxicado y que, en su desesperación, había desencadenado un problema cardíaco. Le dio una inyección para controlar los vómitos y otra para normalizar las pulsaciones, y le indicó una serie de análisis. Antes de irse recomendó que si el cuadro clínico no mejoraba, iba a ser necesaria una internación.

Ema, la madre de Walter, no se alarmó demasiado. Era una mujer habituada a las malas noticias y los golpes de la vida. Le pidió al hijo que se calmara y a la nuera que tuviera paciencia. Con resignación, dejó un sobre con dinero en la mesa de luz, para eventuales gastos médicos, y volvió a su casa.

Al día siguiente llegó Clara. Estaba feliz de poder intervenir una vez más en la vida familiar de su hija. Puso orden en la casa y observó con detenimiento a Walter que, acostado boca arriba, semiparalizado, dormía. Enseguida advirtió que pasaba algo raro: no es que tuviera conocimientos extraordinarios de medicina sino que había pescado una mirada culpable y asustada en su propia hija. La llevó a la cocina y la sometió a un largo interrogatorio. Lo que Clara sospechaba era que su yerno estaba gravemente enfermo y su esposa no le estaba dando los remedios. Las preguntas iban todas en esa dirección pero Nélida resistió. Confiaba en su madre pero le daba vergüenza admitir el crimen en cuentagotas.

Walter tardó diez días en restablecerse. Durante todo ese tiempo Nélida dejó de darle veneno. Como su marido no podía ir a trabajar ni salir a ninguna parte, sus citas con Luis se habían interrumpido. Estaba, entonces, más ansiosa e insegura que nunca. Creía que, durante su ausencia, Luis podría conocer a otra mujer. En ese caso, probablemente no querría verla nunca más. Para marcar el terreno y demostrar su interés y su amor, decidió mandarle una carta.

Escribió un texto lleno de citas eróticas ordinarias y de alusiones burlonas a la extraña enfermedad del marido, prometiéndole que en cuanto pudiera salir, iría a verlo. Una vez que terminó de escribir se encontró con un problema: si mandaba la carta por correo, la secretaria podría abrirla. Entonces usó como mandadero a su hijo mayor y le explicó que tenía que entregársela a Luis en persona.

Cuando Walter se repuso, recrudecieron las peleas. Estaba violento y tenía evidentes desórdenes mentales. Se olvidaba de las cosas y volcaba su furia y su impotencia en Nélida. Un día, mientras comían la pasta del domingo preparada por Clara, Walter empezó a hostigar a su esposa recordándole su antigua infidelidad. Nélida, harta, se levantó de la mesa pero Walter quiso obligarla a quedarse sentada. Nélida terminó con un diente roto y una costilla fisurada.

Mientras se enjugaba la sangre de la boca decidió que ese mismo día volvería a colocar el veneno en la comida del marido despreciable.

Nélida siguió con la rutina del talio cada tres días. El veneno era interrumpido cada vez que su marido sufría algún ataque complicado. Después del cuarto ataque, decidieron internarlo. Los médicos, sin embargo, no acertaban con el diagnóstico aunque sí con el tratamiento. Cada vez que lo internaban, Walter empezaba a mejorar visiblemente su estado general. No es que los medicamentos fueran milagrosos. Lo que pasaba era que, estando internado, el veneno se interrumpía.

La enfermedad de Walter había empezado a preocupar y a movilizar a toda su familia. Sus padres y sus cuatro hermanos hicieron consultas a médicos de diferentes especialidades. Varias veces decidieron internarlo para

obtener un diagnóstico. En esos casos consultaban a Nélida, quien siempre estaba de acuerdo con su familia políti-
ca. Entonces, como las internaciones eran programadas,
ella dejaba de usar el veneno varios días antes para evitar
que el cuadro de intoxicación fuese evidente.

Los médicos, en su mayoría, coincidían en diagnosti-
car una rara enfermedad neurológica. Y a medida que
iban ampliando la red de consultas, todos los nuevos espe-
cialistas recibían una extensa historia clínica equivocada
que servía para seguir confundiendo las cosas. La cuestión
del veneno ni se les cruzaba por la mente.

En agosto de 1972, cuando Walter cumplió cuarenta
años, ella organizó una fiesta familiar. Hacía casi tres años
que le ponía veneno para ratas en la comida. El deterioro en su salud había sido tan lento y sostenido que todos
se habían acostumbrado a su nueva condición. Walter ya
no era el hombre enérgico y robusto que los demás habían conocido. Ahora era un pelado débil y malhumorado, con ojos desorbitados y boca rígida, que caminaba
con dificultad, veía mal, tenía graves problemas motrices
y claros síntomas de locura. De hecho, hasta pocos meses
atrás seguía matando gatos y sembrando la indignación
de los vecinos.

En la fiesta, los hermanos de Walter plantearon la necesidad de llevarlo a vivir a la casa de la madre: creían que,
separándolo de Nélida, él tal vez podría estar más tranquilo. Veían con preocupación que la esposa era la deposita-
ria de la violencia incomprensible de Walter. "Te ve y se
altera. Y con los chicos también", explicó el padre, para
afirmar la idea de llevarlo a su casa.

Walter escuchaba sin opinar, mientras Nélida lo ayudaba a sostener la cuchara con la que comía su torta de cum-

pleaños: hacía tiempo que no podía comer solo, ni vestirse ni bañarse sin ayuda.

Nélida se negó todo lo que pudo a aceptar la oferta familiar. Dijo que ella era la esposa y, como tal, tenía que cuidarlo y acompañarlo. Los hermanos terciaron: "Podés venir a casa todo lo que quieras, pero es mejor que esté una temporadita con nosotros". Nélida no podía creer lo que estaba pasando. Veía que su esposo estaba cerca de la muerte y aparecía esta tremenda contrariedad, que podía, incluso, echar por tierra todo su plan. Apelando a una ocurrencia providencial, se sobrepuso y aceptó la propuesta. "Está bien, llévenlo a su casa. Yo voy a pasar todos los días a darle de comer".

La debacle física de Walter había sido gradual. Durante el primer año había tenido vómitos, calambres, dolores de estómago y pérdida de pelo. Había sufrido algunos ataques e internaciones, pero se reponía y seguía con su rutina habitual. El segundo año, si bien iba a trabajar y conseguía hacer las mismas cosas que siempre, ya se hacía evidente que algo no funcionaba en su organismo. Sus pérdidas de memoria se habían agudizado, su motricidad fallaba, y las internaciones se habían hecho más cíclicas y reiteradas. Ya durante el tercer año, las consecuencias del veneno eran irreversibles: Walter era un inválido que no podía movilizarse sin ayuda. Tampoco estaba en condiciones físicas ni psíquicas de trabajar ni de hacer nada.

Durante todo ese tiempo, la relación entre Nélida y Luis se había afianzado. Se seguían viendo los mismos días de siempre, y cuando a ella se le presentaba algún imprevisto, el hijo mayor iba a llevarle una carta con los motivos de la postergación y la nueva fecha.

El primer año de envenenamiento, y buena parte del segundo, fue el período más difícil para Nélida. Aunque el deterioro se consolidaba, Walter todavía era capaz de dar órdenes, imponer su criterio, amenazar, gritar y matar gatos. Lo peor de sí mismo se había potenciado a extremos asombrosos. Si antes pedía con un gruñido que le sirvieran un café, dando por sentado que su mujer tenía que estar a su servicio, un año después lo reclamaba a gritos, y era capaz de estrellar la taza contra el piso si no tenía la temperatura adecuada. Nélida soportaba los desplantes y escándalos porque sabía que su venganza se estaba consumando lenta pero fatalmente.

Ya hacia el final del segundo año, y durante el tercero, todo fue más fácil. Walter ya no estaba en condiciones de pelear, ni de maltratar a nadie, ni de recordar infidelidades pasadas. Su malhumor y sus nervios seguían siendo irritantes, pero él ya no podía hacerle daño: estaba absolutamente neutralizado.

Cuando los padres de Walter lo llevaron a vivir con él, Nélida —tal como había anunciado— empezó a ir a darle el almuerzo todas las mañanas.

La familia de Walter lo había trasladado allí para evitar los evidentes nervios que le producía el contacto con la mujer y los hijos, pero nadie podía evitar que Nélida, la legítima esposa, se presentara para ayudar. Los padres, inclusive, la compadecían. Pero Oscar, el hermano mayor, la odiaba de toda la vida. Y como la odiaba, tenía la secreta esperanza de que estuviera haciendo algo perverso, para poder justificar su odio y, además, desterrarla de la familia.

El rencor de Oscar venía de cuando ella y su hermano se habían puesto de novios. Él siempre tuvo la sensación

131

de que a Nélida le venía bien cualquiera de los hermanos, con tal de casarse e integrarse a la familia. De hecho, en su momento, a él le gustaba Nélida y había pensado en invitarla a salir. Era obvio que ella aceptaría: cada vez que se cruzaban en el barrio, lo miraba con clara intención de seducir. Sin embargo, mientras él pensaba cuándo sería el momento oportuno para invitarla, Walter le había ganado de mano y un año después los dos estaban casados.

Al fin, llegó la última dosis de veneno. Walter apenas podía comer, no reconocía a nadie y estaba desfigurado: la expresión de su cara era aterradora. No pestañeaba, tenía los ojos desmesuradamente saltones y la boca abierta en forma permanente, lo cual facilitaba las cosas a la hora de alimentarlo y de envenenarlo.

Dos días atrás Nélida había aumentado la cantidad: ya era una experta en dosificar el talio, y conocía muy bien el modo en que el cuerpo de su marido reaccionaría. Ella venía envenenando cada tres días pero no esperó el día que faltaba: tenía que acelerar el proceso porque la espera se hacía interminable. No es que le diera lástima el tremendo sufrimiento del marido: ella estaba convencida de que se lo merecía. Lo que quería Nélida era dar por terminada su vida de esposa desdichada y empezar a ser feliz con su amante y con su libertad económica. Además, le parecía que Oscar estaba vigilándola de cerca.

No se equivocaba.

La dosis final fue más fuerte que las anteriores. Tres horas después, Walter estaba agonizando en el hospital. Oscar, asombrado, intentaba razonar. El ataque de su hermano había aparecido de golpe. Durante la mañana, Walter estaba mal pero estable. De pronto habían venido los vómitos feroces y los estertores. Recordó todas las últimas internaciones. Walter siempre llegaba en un estado desesperante, y después de varios días en el hospital mejoraba notablemente. La idea empezó a cobrar forma: la enfermedad de su hermano recrudecía cuando Nélida estaba cerca, alimentándolo y suministrándole los remedios. Por consiguiente, su hermano debía estar siendo envenenado.

Walter murió esa misma noche, a los cuarenta años, después de un progresivo envenenamiento que duró más de tres años. Su hermano Oscar radicó una denuncia en la policía.

La autopsia fue contundente: Walter murió intoxicado por talio.

Tras varias horas de interrogatorio, Nélida admitió que ella había sido la responsable. Los policías nunca habían visto un caso igual. Uno de ellos la encaró. "¿Tres años de veneno? Si va a matar, mate de una vez, no sea tan turra".

Luis, el amante de Nélida, declaró en su contra. "Ella estaba ansiosa esperando que el marido se muriera. Yo no sabía por qué, pero ahora entiendo todo", contó ante el juez.

Clara, la madre de Nélida, dio una versión piadosa para su hija. "Él le pegaba todo el tiempo y la amenazaba. Cuando ella se quiso separar, antes de que nacieran los chicos, él le dijo que si se iba de la casa, nos mandaría a matar a mí y a la hermana mayor. Por eso ella siguió con él. La tenía aterrorizada, pobrecita, le hacía la vida un infierno. ¿Sabe cómo le decía? Puta barata. Puta barata y asquerosa, eso le decía. Y lo del envenenamiento... nadie sabe si es verdad. Me dicen que ella confesó a la policía, pero en una de ésas la obligaron. Yo creo eso. Yo sabía que Nélida tenía un amigo, y la pobre lo necesitaba. Era como un apoyo moral porque estaba sola, sin nadie que la entendiera ni fuera bueno con ella. Y mi hija es sensible, por eso estoy segura de que no lo envenenó. La comida se hacía igual para toda la familia, yo lo sé porque muchas veces estuve viviendo con ellos. Si Walter se envenenó fue con los remedios que tomaba, porque siempre estaba enfermo. Y ahora resulta que mi pobre hija, que se deslomó para cuidarlo, termina presa".

Nélida fue condenada a doce años de prisión por homicidio premeditado, agravado por el vínculo.

Cinco años después de estar detenida, intentó suicidarse cortándose las venas pero fue auxiliada a tiempo. Llegó a la enfermería casi desangrada. Un año después quiso ahorcarse. Tampoco tuvo éxito.

No quiso volver a ver a sus hijos y recibía, solamente, la visita de su madre.

Murió de cáncer mientras todavía estaba presa.

Dolores U.,
poseída

"La primera vez que me reuní con Dolores sentí que algo raro había. Estábamos en un bar haciendo un trabajo práctico para la facultad, y de vez en cuando ella se sacudía, como si le dieran escalofríos, y hacía un sonido con la boca, soplando hacia adentro y frunciendo los ojos, como si algo le diera impresión. Yo le pregunté qué tenía y ella me dijo que siempre le pasaba eso, que le daban sacudones, pero era porque se acordaba de cosas. Además, a cada rato miraba hacia atrás, como si hubiera escuchado que la llamaban. Igual, podíamos estudiar bien, y ella era buena en matemáticas. Después de reunirnos muchas veces, me acostumbré a los temblores y todo lo demás. Yo pensaba que eran tics, como quien guiña un ojo o sacude la cabeza. Con otras compañeras a veces decíamos que Dolores era rara, pero tampoco era mucho más rara que otras chicas o chicos. Y al final, pasó lo que pasó. El día que todo salió en los diarios, mi mamá me fue a buscar a mi pieza y me abrazó, llorando. Pensó que me podía

137

haber pasado a mí, pobre. Se le ocurrió que Dolores se la podría haber agarrado conmigo y que entonces ahora yo estaría muerta".

Laura D. era compañera de Dolores en la facultad de Ciencias Económicas. No eran amigas íntimas pero se encontraban una o dos veces por semana para estudiar. "Además, en la casa de ella siempre había problemas. Según Dolores, había poco lugar, su padre siempre rondaba por ahí y la hermana molestaba porque era violenta y drogadicta. Así que yo debo haber ido dos o tres veces, pero nunca me encontré con nadie, porque Dolores me invitaba siempre que estaba ella sola. Me parece que su familia le daba vergüenza".

Dolores tenía veintiún años cuando decidió dar un vuelco espiritual a su vida. Estaba agobiada y desesperada: Ángela, su madre, había muerto cinco años atrás, y Oscar, su padre, vivía un duelo interminable y opresivo que lo paralizaba. Su única hermana, Victoria, ocho años mayor, había decidido desentenderse de las tareas hogareñas y delegar en ella el manejo del hogar y de las pobres finanzas familiares.

Dolores nunca se había acostumbrado a vivir sin su madre. La adoraba y estaba convencida de que su muerte había sido el producto de los disgustos provocados por la hermana mayor. También pensaba que el padre compartía esa culpa: nunca había hecho nada para ponerle límites a Victoria, ni para educarla ni para enderezarla.

Nora G., una de las mejores amigas de Ángela, compartía el diagnóstico. "Yo era muy amiga de Angelita, la madre de las chicas, y me consta que la mayor era tremenda. Angelita sufría porque se daba cuenta de que Victoria andaba en cosas raras. Una vez me contó que la chica le robaba plata para comprar droga, y que no quería estudiar ni trabajar. Y tampoco ayudaba a atender el kiosco que tenían desde hacía un tiempo. Me acuerdo de que, ya estando muy enferma, dejó de ir al negocio y la mandaba a la hija mayor. ¡Para qué! Victoria abría a cualquier hora y enseguida se aburría y salía a tomar cerveza con amigos. Al final, la más chica, Dolores, era la que sacaba las papas del fuego. Y las sacaba, pero a qué precio... Después de hacerse cargo de las cosas, la agarraba a la otra y le hacía escándalos, y más de una vez llegó a pegarle fuerte. Y Angelita, la pobre, en el medio, viendo que su familia era un desastre pero sin poder hacer nada porque se estaba muriendo".

La agonía de Ángela duró casi dos años. Dolores la cuidaba y trataba de imponer una disciplina familiar: hacía las tareas domésticas, reunía a los cuatro para la cena, mantenía el kiosco en funcionamiento, despertaba a la hermana para que fuera a sus cursos de diseño de imagen y sonido, y le preparaba al padre la ropa para ir a su trabajo como empleado en una ferretería. Tenía todo bajo control excepto a su hermana: usaba la misma ropa durante días, se enjuagaba el pelo con Coca-Cola para adoptar un aspecto punk, faltaba a la facultad la mitad de las veces y dormía hasta el mediodía. Dolores intentaba revertir esas "conductas odiosas", como decía ella, y terminaba llorando de frustración en brazos de Laura, su compañera de facultad. "Realmente, con la hermana tenía una relación de mucho conflicto. Ella se angustiaba y lloraba. A mí me parece que estaba muy celosa porque Victoria era la mayor y la preferida del padre. Una vez me dijo que daría años de vida para que el padre la quisiera como la quería a la otra. También estaba enojada porque en el barrio se decían muchas cosas. Decían que Victoria y el padre dormían juntos desde que la madre se había muerto. Ella me

139

contaba eso y yo me quedaba muy asombrada. Pero Dolores nunca me aclaró si eso que se decía era cierto o no era cierto. Y a mí me daba vergüenza preguntar".

Luisa C., otra amiga de la madre, vivía escandalizada por la relación entre la hermana mayor y el padre. "Yo creo que Ángela sabía todo, pero que no se animaba a hacer nada. Para ella era demasiado. Imagínese, sospechar que la hija tenía algo con el padre. Acá hay muchos que hablan de más, eso es verdad, pero en este caso es distinto. Yo estoy segura de que lo que se dice era cierto. Victoria y el padre iban juntos de acá para allá, y se miraban como novios. Una vez, en una reunión con la familia de ella, que era del interior, estuve hablando con la prima de Ángela, una mujer sencilla pero inteligente. Y para la prima, el padre había abusado de la hija cuando era muy chica... Pero me contó algo más: parece que la hija mayor en realidad era adoptada, no era de ellos. Se la había dado una mujer del campo, que no la podía criar, y ellos se hicieron cargo. La pobre mujer me contó todo pensando que yo ya sabía. Y no, no sabía porque de ese tema ellos nunca hablaron. Es más, estoy segura de que Dolores ni siquiera sabe que la hermana no es la hermana, si es que esa prima me dijo la verdad".

Una tarde, después de una tremenda discusión con su padre, Dolores fue a la iglesia de su barrio. Estaba decidida a hacer un curso sobre algo que tuviera que ver con la vida religiosa, pero no sabía qué.

Ya en la iglesia, encaró a un cura que estaba caminando cerca del altar. Le dijo, sin mayores explicaciones, que necesitaba conectarse con el catolicismo y las doctrinas religiosas. El cura la vio nerviosa y confundida y la invitó a rezar con él. Le explicó que lo mejor era eso, rezar y entre-

garse a la gracia divina, pero Dolores quería algo más concreto. Al final, aceptó ir a la iglesia tres veces por semana:
dos para las misas, y otra para comentar con él las ense-
ñanzas de la Biblia.

Su incursión en la vida católica no hizo demasiado
efecto en su furia general: cada día estaba más agresiva
con los vecinos, enojada con la hermana e indignada con
el padre. A los vecinos les recriminaba que se metieran en
su vida e hicieran comentarios maliciosos sobre su familia;
con la hermana se peleaba constantemente por su desor-
den y sus horarios inverosímiles, y al padre le criticaba su
falta de compromiso con el hogar.

Una tarde en la que su padre estaba en el trabajo y Victoria con unos amigos, Dolores invitó a su casa a Laura, su
compañera de estudios. Muchas veces se les complicaba ir
a los bares a terminar trabajos prácticos: se distraían y
había demasiado ruido. "Cuando llegué a su casa Dolores
preparó café y fue a buscar una carpeta con apuntes de la
facultad. Pero no la encontraba. Revisó una biblioteca de
arriba abajo y no estaba. A mí me pareció normal porque
a cualquiera se le puede perder una carpeta, pero ella
estaba muy impactada. Se sentó a tomar café y se quedó
así con la mirada perdida. Ya ni se podía concentrar para
estudiar. Y después de un rato me dijo que tenía miedo,
porque en la casa desaparecían las cosas. Yo le dije que no
fuera paranoica y se puso muy mal. Se enojó y me dijo que
no era paranoica, que ya le había pasado varias veces: ella
guardaba algo en un lugar y después aparecía en otro
totalmente distinto. A mí me pareció, y se lo comenté, que
por ahí era la hermana. Mis propios hermanos muchas
veces me escondían cosas porque estábamos peleados,
pero ella me contestó que a la hermana le pasaba lo

141

mismo, y al padre también. Parece que los tres vivían con miedo, y que había noches en que también se escuchaban ruidos raros, como si hubiera alguien en la casa. A mí me dio mucha impresión. Después de eso volví a la casa otra vez, y encontré unas velas prendidas. Le pregunté si las había puesto por algo y me dijo que le gustaban. Yo me imaginé que no estaban por decoración sino para pedirle ayuda a algún santo o algo así. Igual, la verdad, yo no escuché ruidos ni nada".

Dolores y su familia siguieron perdiendo cosas y escuchando ruidos extraños. Una noche oyeron a alguien caminando por la cocina. El padre, muy asustado, fue a ver: encontró dos ollas tiradas, pero no había nadie que hubiera entrado a la casa. Con las dos hijas revisaron puertas y ventanas, pero no había nada anormal.

Mientras volvía a poner las ollas en su sitio, Dolores advirtió que había un olor fuerte a ácido muriático, como el que solía usar su madre, muy diluido, para sacar las manchas de la bañera. Su padre no sintió nada, pero Victoria, pálida, le dijo que sí, que olía lo mismo. La conclusión de Dolores fue rápida: la casa estaba embrujada y había que hacer algo para normalizar las cosas.

Esa noche los tres, muy impresionados, empezaron a dormir juntos en la misma habitación, encerrados con llave.

Al día siguiente Dolores se levantó temprano y fue a hablar con el cura. Le contó todo, y le planteó una sospecha: que en su casa se habían instalado espíritus malignos.

El cura, acostumbrado a la imaginación y fantasía de los creyentes, le dijo que ningún espíritu, ni bueno ni malo, podía hacer nada frente a la maravillosa fuerza de la fe. Mandó a los tres a rezar con devoción y dio por terminada la historia.

El padre y las hijas empezaron a ir a misa casi todos los días, pero fue en vano. Por las noches los ruidos eran aterradores, las lámparas se quemaban y el olor era nauseabundo. Lo comentaron con sus vecinos, que parecieron muy asombrados por el asunto pero dijeron que en sus casas no pasaba nada semejante.

Por sugerencia del cura, los tres empezaron a investigar si en esa casa había muerto alguien en el pasado. Los vecinos hicieron memoria y creyeron recordar que hacía muchos años allí había muerto una mujer, pero no estaban seguros. El cura quiso saber si la madre de Dolores había pasado sus últimos días en la casa, pero no: ellos se habían mudado ahí varios meses después de la muerte de la madre.

Al fin, Dolores convenció al cura para que fuera a la casa a dar un vistazo y ver si encontraba algo. El cura aceptó, y fue dispuesto a rezar allí mismo, para apaciguar a los supuestos espíritus y lograr que esas almas perdidas pudieran descansar y abandonar la casa, en el caso improbable de que la hubieran tomado.

La visita del cura llevó casi dos horas. Con un crucifijo en la mano, acompañó a Dolores por el living, la cocina, y los tres dormitorios y el baño que estaban en el piso de arriba. Mientras recorrían la casa, Dolores le iba contando detalles de la conflictiva vida familiar. Por supuesto, le mostró los lugares en los que habían desaparecido determinados objetos y dónde habían vuelto a aparecer. El cura se detuvo en la cocina y en el living porque le habían dicho que allí era donde se escuchaban los ruidos nocturnos. Cuando vio todo, hizo una segunda recorrida, rezando en voz alta, arrojando agua bendita e impregnando los ambientes con incienso. Antes de irse recomendó que ya no siguieran durmiendo los tres juntos: había visto varios colchones amontonados en uno de los cuartos y le pareció un dato de dudosa moralidad. Dolores estuvo de acuerdo.

Esa noche los tres comieron en la cocina, muy alertas a todo. No escucharon nada, pero las hermanas advirtieron que, poco a poco, se desvanecía el perfume del incienso. Antes de ir a dormir, volvieron a percibir el olor del ácido muriático.

Dolores había empezado a abandonar la facultad. Cursaba apenas dos materias, y se pasaba el día atendiendo el kiosco y discutiendo con su hermana. Una mañana Victoria llegó a la casa después de dos días sin aparecer. Pelearon, y Victoria terminó con la cara arañada y un ojo morado. Arrepentida pero furiosa, Dolores fue a la casa de Laura a desahogarse. "Dolores estaba cada vez peor. Yo traté de convencerla para que no abandonara tantas materias, pero ella me decía que no tenía tiempo para estudiar, que tenía que trabajar en el kiosco porque su hermana era una irresponsable, y que además la tenía que cuidar porque estaba loca y se drogaba. En esa época nos vimos varias veces. Me contó lo del cura, que había ido a rezar a la casa, para limpiarla. Parece que ella le dijo al cura que lo que tenía que hacer era un exorcismo, pero el cura decía que no, que un exorcismo era algo mucho más serio, que la casa de ella no lo necesitaba. Y al final, después de lo que pasó, se debe haber arrepentido de lo que dijo, o de no haberse dado cuenta de lo que podía pasar... Porque por ese tiempo ella ya había empezado a estar rara en serio. Estaba obsesionada con el tema de los espíritus malignos, como ella decía. Y se había enterado del caso de una mujer que había matado a la hija porque empezó a ver que la nena a veces cambiaba la voz y hablaba como un hombre grande. Entonces quiso sacarle el demonio del cuerpo hasta que al final la mató. Yo le decía que no me contara esas cosas porque me daban mucha impresión, pero ella seguía. Estaba obsesionada. Me contaba ese caso mil veces, cada vez con más detallecitos y cosas. Lo de esa nenita era espantoso, a mí me dieron pesadillas por mucho tiempo, pero Dolores decía que no había que impresionarse, había que saber qué hacer por si le pasaba algo parecido a alguien de la familia, o a uno mismo".

Poco después del exorcismo del cura, las hermanas volvieron a escuchar ruidos, esta vez con mayor intensidad y frecuencia. Victoria, asustada, se refugió en los brazos del padre, pero Dolores decidió hacer algo práctico. Se había enterado de la existencia de un centro alquímico esotérico que publicitaba su experiencia "para remover las energías negativas más comunes que afectan el desarrollo personal e impiden realizar normalmente los procesos naturales de la vida. Se opera separando las energías impuras de las puras, para dar luz a un nuevo proceso de crecimiento", según el texto de un folleto que llegó a manos de Dolores. Le habían dicho que en ese centro eran expertos en deshacerse de los espíritus negativos y diabólicos.

Dolores fue al centro en cuestión y se entrevistó con uno de los dueños. Cuando contó lo que pasaba en su casa, el hombre le dijo que todo era obra, efectivamente, de los espíritus negativos, y que solamente ella podría desalojarlos. Para eso debería hacer un curso práctico para aprender a liberar su casa y, en segundo término, otro para limpiar su alma, probablemente contaminada. Y para poder sobrellevar todo con tranquilidad y equilibrio, lo mejor sería empezar con un curso "muy interesante y práctico" que acababan de implementar: Meditación con Ángeles.

Dolores tomó sus nuevas prácticas esotéricas con entusiasmo y dedicación. Y mientras iba dos veces a la semana a su clase de ángeles, decidió que todo lo que se dictaba en ese centro alquímico podía ser favorable para encarrilar a su hermana. La convenció y empezaron a ir juntas. Por alguna razón, la hermana mayor de pronto se había vuelto sumisa y dependiente de Dolores, y había empezado a aceptar sus decisiones sin chistar.

Cuando las dos tuvieron el visto bueno del director del centro, se inscribieron en el curso más importante, el de Operadores Alquímicos. Una vez que tuvieran los conocimientos y la fortaleza de espíritu, podrían ellas solas realizar la Novena de Purificación Ambiental y, de ser necesario, la inquietante Novena de Purificación Personal.

Los cursos duraron ocho meses, pero al fin las hermanas, con Dolores a la cabeza, estaban capacitadas para hacerles frente a los espíritus del mal.

Tanta dedicación pusieron las hermanas en las clases esotéricas que abandonaron por completo sus estudios universitarios. Laura, la compañera de Dolores, intentó convencerla para que al menos siguiera asistiendo a las clases prácticas pero no tuvo éxito. "Conmigo ya no estudiaba, no había caso. Las veces que nos veíamos ella me contaba lo de sus cursos de esoterismo y a mí me daba mucha curiosidad, claro. Yo le preguntaba qué hacían en ese centro, y ella me iba explicando. Pero siempre me dio toda la sensación de que Dolores no entendía mucho lo que estaba haciendo. Le habían dicho que había una relación entre los espíritus y algo que ellos llamaban pasta alquímica, pero no sabía decirme cuál era esa relación. Lo que sí tenía claro es lo que había que hacer concretamente, paso por paso, pero nunca podía explicar por qué motivo eso podía llegar a funcionar. Tenían que quemar la pasta y prender velas, y rezar el Padrenuestro, el Gloria y el Ave María. Yo le dije que me parecía un poco raro, pero ella me dijo que era bastante científico. Eso me dijo, que era bastante científico. Siguiendo el ritual, iban a purificar la casa. Además, se tenían que vestir con túnicas blancas y protegerse con un óleo especial, que vendían ahí mismo: se ponían un poco en la frente, el costado de las orejas y la espalda, haciendo la señal de la cruz. Parece que lo del óleo era para evitar que los espíritus desalojados por la Novena se metieran dentro de alguno de ellos. Eso a Dolores la asustaba un poco: que un espíritu maligno se le metiera en el cuerpo, porque en el curso le decían que eso podía pasar tranquilamente, y que hasta era normal".

Cuando terminaron el curso, el director del centro las autorizó para empezar con la Novena de Purificación Ambiental. Les habían dicho que el altar tenía que estar cerca de alguna corriente de agua. Eligieron la cocina, que además cumplía con el segundo requisito: que recibiera sol en algún momento del día.

Despejaron la mesa donde comían y la cubrieron con una tela blanca. En el centro colocaron una estampita de la Virgen María y a la derecha un plato con carbón y pasta alquímica. Ahí mismo encendieron una vela que Dolores transportó en una recorrida por toda la casa, insistiendo en los lugares donde se escucharon ruidos o donde se sentía el famoso olor a ácido. En ese trayecto hogareño las dos hermanas iban rezando en voz muy alta el Padrenuestro, el Gloria y el Ave María.

El ritual tenía que hacerse durante nueve días, siempre a la misma hora. A partir del tercer día, las hermanas empezaron a obsesionarse con la cuestión purificadora. Con espíritu maniático, subían la apuesta y seguían rezando por la casa mucho después de haber terminado con el rito que les habían enseñado en el centro. Al quinto día el padre se unió a sus hijas y dejó de ir a su trabajo. Los tres se recluyeron en la casa y cerraron puertas y ventanas. La idea la habían tomado del centro, que aconsejaba que en casos graves de contaminación maligna había que evitar salir a la calle durante los últimos días del ritual: el contacto con otros ámbitos y otras personas podía echar a perder el trabajo purificador que se estaba llevando a cabo.

De modo que el padre y las hijas pasaron el quinto, sexto y séptimo días rezando de la mañana a la noche, sin ver la luz, comiendo apenas, respirando el aire saturado del humo del carbón, las velas y la pasta alquímica, y escuchando una y otra vez, por alguna razón inexplicable, la Misa Criolla.

Dolores, con su veta religiosa exacerbada, lideraba el grupo.

Pero al octavo día, sucedió un acontecimiento que desataría la tragedia. El padre fue a afeitarse y, mientras controlaba el ir y venir de la maquinita por su cara, dejó de verse reflejado en el espejo. En su lugar descubrió, nítida, la cara del diablo.

Cuando el padre les contó a las hijas que había visto la cara del diablo en lugar de la suya, Dolores no tuvo la menor duda: un error en todo el proceso había echado a perder las tareas de limpieza espiritual. El diablo había logrado colarse en el cuerpo del padre y ahí se había instalado. Era obvio que había que actuar.

Lo que había pasado, sin embargo, no tomó por sorpresa a Dolores: su curso de operaria alquímica tenía prevista esta tremenda eventualidad. Si el diablo lograba enquistarse en alguien, había que actuar sin perder un instante, y reemplazar la Purificación Ambiental por la más complicada Purificación Personal. Eso hicieron.

El cambio implicaba, entre otras cosas, que se dejaban de lado las túnicas blancas. La Purificación Personal requiere la desnudez absoluta de los operarios alquímicos y la persona a la que en concreto se quiere limpiar.

A esa altura de los hechos, las hermanas estaban totalmente compenetradas con el ritual y se entregaron a su mundo místico con un fanatismo salvaje.

Los tres desnudos, encerrados, hambrientos, alucinados, pasaban los días rezando a gritos y respirando el humo purificador de los cirios sagrados.

El momento clave en todo el proceso era la última noche, cuando la Novena tenía que darse por terminada.

Antes de encerrarse con su familia, Dolores les había advertido a sus dos vecinos más cercanos que era probable que escucharan rezos y ruidos fuertes porque iban a hacer una limpieza espiritual de la casa. Agregó que el cura del barrio ya había intentado quitarle la energía negativa pero su método no había funcionado.

Los vecinos, entonces, no se sorprendieron por los rezos y los gritos, pero la noche entre el octavo y noveno día resultó intolerable. Se juntaron las dos familias vecinas para consultarse si era normal que esa casa permaneciera cerrada, con aullidos desgarradores y un intenso olor a letrina y vómitos. Pensaron que lo mejor sería esperar hasta el día siguiente para ver si todo se calmaba: el aviso que había dado Dolores había sido claro. Esa madrugada los vecinos estuvieron despiertos, aterrados, como en una pesadilla. A la mañana siguiente el escándalo seguía y había empeorado. Decidieron llamar a la policía. Contaron que al principio se escuchaban rezos en voz muy alta pero que los gritos de la noche anterior sugerían algo verdaderamente grave.

El primer policía que llegó tocó timbre durante un rato sin que nadie contestara. Al fin empezó a golpear la puerta. Una voz muy gruesa de hombre le dijo que se fuera. Sin orden de allanamiento, el policía no podía entrar por su cuenta: al fin y al cabo la única denuncia recibida era por ruidos molestos. Sin embargo, el policía volvió a insistir. Movió el picaporte y advirtió que la puerta estaba sin llave. La abrió apenas y alcanzó a ver a un hombre desnudo, totalmente cubierto de sangre, recostado contra una escalera. Una mujer también desnuda y cubierta de sangre lo estaba apuñalando con su mano izquierda. La otra mano la tenía metida en la boca del hombre hasta la mitad del brazo y hacía un movimiento como de revolver y sacar para afuera. El hombre estaba inmóvil pero no rígido, y, aparte de las cuchilladas por todo su cuerpo, tenía los costados de la boca cortados, como para agrandar la abertura. Unos metros a la derecha había otra mujer ensangrentada, sin ropa, con excepción de una remera desgarrada a cuchilladas.

El policía, a punto de descomponerse, llamó a la seccional para pedir refuerzos. Pocos minutos después llegaron cuatro compañeros y entraron todos en grupo. Tres de ellos inmovilizaron a Dolores, que era la que estaba despedazando a su padre. En cuanto lograron separarla de él, vomitó restos de carne: había comido parte de sus mejillas y labios. Otro policía se encargó de asistir a Victoria, que tenía cortes en la espalda, brazos y cara. El último comprobó que Oscar estaba muerto.

Dolores, en tanto, no paraba de gritar palabras incomprensibles con voz de hombre, mientras se retorcía, furiosa y enajenada. Cuando intentaron subirla a una camilla, tuvieron que sujetarla entre cuatro y atarle brazos y piernas. Los policías se miraban entre ellos, sin poder creer la escena que estaban viendo. Algunos se persignaban y otros revisaban la casa buscando a alguien más que hubiera contribuido a hacer posible ese desastre.

Dolores y Victoria llegaron al Hospital Pirovano en dos ambulancias distintas. Las enfermeras enmudecieron cuando los camilleros bajaron a Dolores, atada y en plena crisis emocional. Uno de los policías que la acompañaba rezaba en voz baja. "No hay otra explicación: estaba poseída. O algo así debía pasarle, porque hablaba 'en lengua' con una voz muy fuerte, de hombre. Y de golpe la cara se le transformaba: hacía muecas rarísimas y gruñía. Y arqueaba la espalda como si la fuera a quebrar. No exagero si le digo que levantaba la espalda a medio metro de la camilla. Arqueaba la espalda sola: la cabeza y las nalgas le quedaban en el lugar, ¿se entiende? Y a eso súmele los ojos en blanco. Nunca vi nada igual. Además, fui yo el que entró en esa casa cuando estaban los tres adentro. Tengo doce años de policía, así que imagínese las cosas que vi, pero nada como esto. Ni parecido. Además, el cadáver del hombre parecía muy reciente y después me contaron que, por autopsia, llevaba muerto casi diez horas. Lo pienso y no entiendo cómo un cuerpo con tantas horas de muerto, que debería tener la típica rigidez cadavérica, estaba de rodillas y agarrado a la baranda de la escalera".

La violencia de Dolores horrorizó a las enfermeras, que hicieron lo posible por evitar su internación. Cuando desde la dirección llegó la orden de internarla, varias se negaron a acercarse a la nueva paciente. Una de las enfermeras tuvo un bajón de presión y debió ser asistida. "Me desmayé. La vi y sentí un escalofrío, y se me puso la piel de gallina. Fue horrible. Tenía una fuerza tan impresionante que no había posibilidad de soltarle las ataduras. ¡Nos quería matar a todos!"

La autopsia determinó que Oscar murió aproximadamente a las cuatro de la mañana. Tenía cortes en todo el cuerpo, la mandíbula fuera de lugar y dos enormes tajos a los lados de la boca. El rostro estaba desfigurado y gran parte de sus mejillas estaban desgarradas por mordiscos. En el centro del pecho tenía dibujado, a cuchillo, un gran círculo con un triángulo adentro. Según figuraba en los apuntes que Dolores había tomado en su curso, era el símbolo de la purificación.

Dolores fue declarada inimputable. Los psicólogos forenses determinaron que ambas hermanas padecían esquizofrenia, aunque el caso de Dolores era más grave. Nunca hizo ninguna mención al crimen de su padre y, ante las preguntas de los psiquiatras, dice no recordar nada.

Después de permanecer internada en un neuropsiquiátrico durante casi cinco años, sigue su tratamiento en forma ambulatoria.

Irma M.,
experta en peces

Desde muy chica, Irma M. se había acostumbrado a estar sola. Sin padre, sin hermanos y con una madre que tenía que trabajar en una fábrica, pasaba el día al cuidado de una pariente desamorada que no la aguantaba y se encerraba en el living a recibir a sus novios.

Irma iba a la escuela en el turno de la mañana, y a la tarde miraba por la ventana de la cocina el terreno baldío que estaba al lado de su casa, donde los chicos del barrio jugaban a la pelota y se peleaban entre sí.

Para su cumpleaños número diez, le pidió a su madre, Pilar, un perro o un gato de regalo. La madre se apiadó de la soledad de la hija y decidió darle el gusto con una leve diferencia: cambió la mascota que quería la hija por una pecera con cuatro peces de colores. Irma no protestó y aceptó los peces con entusiasmo.

El ambiente inhóspito de su casa propiciaba una relación intensa entre la nena y los peces: en menos de una semana ya les había puesto nombres, imaginaba romances acuáticos, les daba de comer con cuidado maniático y les hablaba sin parar.

Los fines de semana eran los días en los que la madre estaba con Irma y la llevaba a visitar a las primas de su edad. Pero Irma ya casi no quería salir para no separarse de sus peces.

Pilar veía la relación entre Irma y sus mascotas con alguna preocupación, pero se quedaba tranquila cuando la maestra de la hija le decía que era una de las mejores de la clase, que sus compañeras la querían y que no veía nada anormal en su conducta.

Con el tiempo Irma se fue haciendo una experta en peces. Los primeros que tuvo ya habían muerto, uno por uno, pero la madre los iba reemplazando, consciente de lo importantes que eran para su hija. Irma había aceptado con dolor que la vida de sus peces era limitada, pero hacía lo posible para que vivieran cómodos y sanos.

Su paso por el colegio secundario le permitió tener más amigas y hasta un novio, pero conservaba el hábito de hablar con los peces todas las noches. Estaba convencida de que la querían, la entendían y la extrañaban cuando no la veían.

A los dieciséis años tuvo que dejar el colegio para trabajar, porque la fábrica que empleaba a su madre había quebrado. Irma salió a limpiar casas. Con su primer sueldo compró una pecera mucho más grande y varios peces más. Dos años después tuvo que ir a la municipalidad de su pueblo para hacer una serie de trámites, y ahí conoció a Osvaldo, un empleado administrativo doce años mayor que ella.

Osvaldo la invitó a tomar un café el primer día que la vio. Sin dudarlo demasiado, ella rompió su noviazgo con su ex compañero de colegio. Irma y Osvaldo se casaron ese mismo año y fueron a vivir a la casa de él. Ella juntó toda su ropa en un bolso, trasladó su pecera, renunció a su trabajo y empezó su nueva vida de mujer casada.

A Irma su marido le parecía un hombre interesante, culto y entretenido. Con él se divertía y se sentía protegida. Le había prometido, además, que algún día conseguiría un traslado y dejarían la Patagonia helada para irse a vivir a Misiones, cerca de las cataratas del Iguazú.

Como el sueldo de Osvaldo apenas les alcanzaba para llegar a fin de mes, él le ayudó a Irma a conseguir un trabajo en un bazar. El dueño era un español viejo y encantador llamado José, que se encariñó con Irma en el acto. El sueldo era mínimo, pero le permitía a la pareja vivir sin sobresaltos económicos. Le alcanzaba a ella, además, para pagarle a la madre alguna cuenta y para mantener a sus peces "como príncipes", según le contaba a José.

Los peces seguían siendo una presencia importante en su vida. Irma estaba contenta con su marido, pero a medida que pasaba el tiempo se sentía más sola, y más se apegaba a sus mascotas.

Para cuando cumplieron veinte años de casados, el matrimonio trastabillaba. Osvaldo seguía trabajando en la municipalidad y rumiaba rencor contra la injusticia de haber llegado a su techo sin haber accedido a un cargo jerárquico. El fracaso laboral repercutía en su carácter: vivía malhumorado, le costaba dormir, tomaba ansiolíticos y descargaba su angustia maltratando a su mujer. Irma se refugiaba en el bazar. Pasaba tardes enteras tomando té con José, quitando el polvo a las ollas, ayudando a las clientas a elegir regalos y cuidando a los nietos de su patrón: la hija de José tenía dos hijos mellizos que adoraban a Irma y la visitaban día por medio. La presencia de los chicos le entristecía porque le recordaba que ella misma nunca había podido quedar embarazada. Su ginecólogo no le había encontrado ninguna anomalía, y le explicó que antes de iniciar un tratamiento su marido tenía que hacerse un análisis sencillo para ver si el problema lo tenía él. Osvaldo se indignó ante la propuesta: era obvio que él no tenía problemas físicos y jamás se haría ningún estudio humillante. Sugería, a cara de perro, que la responsable era ella y que no había más que hablar.

En esas tardes de trabajo y tés, José convenció a Irma de que tenía que terminar el colegio secundario. Ella se inscribió en un curso nocturno. Apenas cerraba el bazar, corría para el instituto a cursar su bachillerato acelerado. Osvaldo jamás apoyó esa iniciativa de su mujer, y menos todavía cuando se enteró de que quería su título para estudiar una carrera universitaria. Intuía que, si ella crecía, lo vería a él cada vez con menos admiración y menos interés. Pero eso ya era cierto: a Irma su esposo hacía tiempo había dejado de parecerle esa persona culta y sensible que la había convencido para casarse. Ahora lo veía como lo que era: un hombre inseguro, resentido, miedoso. La nueva realidad —la que ella advertía a través de su propio crecimiento— había sacado a la luz el flanco más débil de su marido.

Osvaldo se dio cuenta, como Irma, de que las peleas entre ellos se multiplicaban. Cada día había un nuevo motivo para protestar, gritar e irse a dormir agotados y hastiados.

Irma ya no volvía a su casa a las ocho de la noche sino cuando salía del instituto, pasadas las once, lo cual avivaba el malestar de Osvaldo. Él, que terminaba de trabajar a las seis, era incapaz de arreglar la casa, lavar la ropa o cocinar. Se quedaba esperando frente al televisor, mientras imaginaba que su mujer lo engañaba con sus compañeros de clase o, inclusive, con algún profesor.

Irma llegaba a las corridas, sabiendo que tenía que ponerse a cocinar. Había abandonado las preparaciones elaboradas y cocinaba cualquier cosa simple y rápida, mientras les hablaba a sus peces y los alimentaba. "Esos pescados de mierda comen mejor que yo" era la frase recurrente, que Irma ya ni escuchaba de tanto haberla escuchado.

Cuando Osvaldo terminaba de comer se iba a la cama. Irma arreglaba la cocina, repasaba las lecciones de su bachillerato, sacaba la ropa del lavarropas, planchaba lo que le había quedado del día anterior y hablaba un poco más con sus peces. Los examinaba con mucho cuidado para detectar hongos o algún otro problema, y les contaba lo que había hecho durante el día. "Hoy mami tuvo mucho trabajo. Además José me dejó sola porque tuvo que hacer un trámite. Y en la escuela me fue bien, pero mañana tengo examen de química". Les hablaba muy despacio, casi en un susurro, para que Osvaldo no pudiera oírla.

Una tarde José se sintió mal y hubo que llevarlo a un hospital. Quedó internado: había tenido un infarto. El médico le explicó que tendría que dejar de trabajar. José trató de convencer a su familia de que lo dejaran conservar el bazar pero fue inútil: su esposa y sus hijos decidieron por él. Pondrían en venta el local esa misma semana.

Irma seguía trabajando, ajena a todo. Cuando un día, después de cerrar, fue a visitar a José con una lista de toda la mercadería que tenían que reponer, se enteró de la novedad.

Al día siguiente fue al negocio y puso un cartel con grandes letras negras, tal como le había indicado José: "Oferta final. Liquidamos todo por cierre".

Osvaldo le dijo que no podían vivir sin un sueldo extra, y que él se encargaría de conseguirle otro trabajo. Mientras tanto, Irma pasaba las tardes sentada en la cocina, observando a sus peces, pensando en su futuro vacío y extrañando las charlas con José. Con alarma se dio cuenta de que José jugaba en su vida un papel mucho más importante de lo que ella misma suponía: tapaba la enorme grieta afectiva que se había instalado en su matrimonio. Era a José a quien le contaba acerca de sus proyectos para estudiar veterinaria, sus dudas para votar en las elecciones, su odio por las tareas domésticas, sus ganas de tener un hijo. Tanto hablaba con José y con tanto entusiasmo, que casi ni se daba cuenta de que con su marido apenas se saludaban.

Cuando el bazar cerró, a Irma le quedaron, apenas, los peces.

Osvaldo apareció una tarde con la novedad: le había conseguido un nuevo empleo. Tenía que controlar a los mozos y cocineros del restaurante que había abierto un conocido de su familia. Entraría a trabajar a las cuatro de la tarde y saldría a medianoche. Irma miró a su marido, indignada. "¿Vos te olvidaste de que yo entro a estudiar a las ocho?". El marido fue tajante: no se había olvidado, pero no veía inconveniente en que ella pospusiera el estudio para otro momento de su vida. "Total, si esperaste hasta ahora, que tenés casi cuarenta, podés esperar más". Irma trató de razonar con él: le faltaba apenas un año y medio, y después ya podría empezar una carrera universitaria. "Necesitamos ese sueldo. Y es lo único bueno que te pude conseguir".

Irma, desorientada, miró el reloj y juntó sus cuadernos. Cortó la conversación y se fue al instituto.

Hacía frío, y cuando llegó estaba helada y agobiada. Se encontró con una compañera que solía sentarse con ella: era una cincuentona divorciada y feliz, que se ganaba la vida cosiendo vestidos de novia. La compañera la llamó, apurada, y le pidió los ejercicios de matemática que tenían que entregar ese día. Irma le dejó su carpeta y le dijo que tenía que ir al kiosco a comprar chicles. Nunca más volvió.

Osvaldo tomó la deserción escolar de su mujer como una victoria personal. Ella empezó a trabajar pocos días después. Se consolaba calculando que, por lo menos, no iba a tener que pasarse de la mañana a la noche en su casa pensando en el fracaso de todos sus proyectos.

Como siempre, hizo su trabajo con eficiencia. No le gustaba controlar a nadie, y menos imponer sanciones disciplinarias cuando las cosas no funcionaban, pero se adaptó a su nueva realidad y trató de hacer todo de la mejor manera posible. Lo peor era volver a su casa y encontrar al marido despierto y dispuesto a tirarse encima de ella. Justificaba su ansiedad sexual diciendo que su insomnio lo mortificaba de tal manera que la única manera de superarlo era haciendo el amor. "Me sirve para dormir", le explicaba él, sin siquiera preguntarse para qué le servía a ella.

Para su cumpleaños número treinta y nueve, Osvaldo le regaló medias. Fue a una lencería y pidió varios pares: tres de textura gruesa, para usar en el trabajo, y otros dos de textura fina y sedosa, "para usar conmigo". Irma le agradeció, guardó todo en los cajones de su cómoda y fue a la pecera a alimentar a los peces con un nuevo preparado que había comprado en la veterinaria.

Para esa época, Irma había vuelto a la carga con la idea de ser madre. No había logrado que su marido se hiciera análisis de fertilidad, pero de todas formas intentó embarazarse. Calculaba las fechas de su ovulación tomándose la temperatura y, cuando podía, lograba que su ginecólogo le hiciera una ecografía que le diera precisiones. Entonces, sin decirle a Osvaldo que estaba pensando en su maternidad, lo provocaba en la cama sin mayores preámbulos. Osvaldo creía entonces que su mujer seguía tan entusiasmada con él como hacía veinte años.

Pero después, cuando ella comprobaba que el embarazo no se producía, solía meterse en la cama sin comer y quedarse despierta durante horas, hasta que empezaba a amanecer. Entonces se levantaba e iba a ver a sus peces, que a esa hora solían estar quietos, suspendidos en la vegetación artificial de la pecera.

Una nuera de su ex patrón, con quien tenía cierta confianza, la llamó una mañana para invitarla a tomar un café. Cuando se encontraron, le dijo que José le había contado de su interés por ser madre. Le sugirió entonces anotarse en un juzgado para adoptar un bebé. "Una amiga lo hizo. Esperó menos de dos años, y pudo adoptar un chiquito de cuatro meses. Probá vos también". El entusiasmo de Irma fue dando lugar a la decepción anticipada. Sabía que su marido no iba a aceptar la idea. Esa noche le contó la charla con la pariente de José. Osvaldo se indignó. "¿Por qué ese José no se mete en sus cosas? Que no venga a decirme a mí lo que hay que hacer. Y si vos no podés tener hijos, no podés tener hijos y punto.

No es obligación tener hijos. Así que ninguna adopción ni nada".

La respuesta de Irma apenas se escuchó. "¿Yo no puedo tener hijos? ¿Y si sos vos el que no puede tener hijos?" Osvaldo se quedó callado, sin saber qué contestar. Se levantó del sillón, y se acercó a Irma. Conteniendo la furia le dio dos palmaditas en la cabeza. "Pobrecita... Andá a cuidar a tus pescaditos, andá".

Casi un año después de empezar a trabajar en el restaurante, una amiga de su madre le hizo a Irma una oferta: tenía un negocio de venta de dulces y conservas pero quería ampliarlo e instalar un bar justo al lado. Se había desocupado el local contiguo (del que ella también era propietaria) y se disponía a alquilarlo y unirlo al negocio para concretar el proyecto. El problema era que ella no tenía ni tiempo ni ganas de manejar ese bar. Necesitaba una persona de confianza que se hiciera cargo de todo. Irma estaba exultante. Fue a su casa y encontró a Osvaldo, como siempre, frente al televisor. "Te tengo una noticia buenísima", fue su introducción, y pasó a contarle la propuesta. "Yo sería como la dueña, decidiría qué preparo, qué se cocina, todo. Y como en el local de esta mujer siempre hay gente, pasarían después a tomar algo y comer alguna cosa". Osvaldo la miró con desprecio. "¿No ves que no tenés cabeza? Que la gente vaya a comprar dulces no quiere decir que se quede tomando café y comiendo tus tortas". Enseguida pasó a las cuestiones prácticas y le preguntó qué tenía que poner ella. "El alquiler, claro. Y dos meses de adelanto". Osvaldo vio que había ganado la partida antes de salir a la cancha. "No tenemos un peso para ese adelanto. Y no podemos pagar un alquiler sin saber si nos va a ir bien. No podemos arriesgar. Quedate en el restaurante". Irma, casi llorando, le dijo que con el nuevo trabajo podría ganar más dinero, tener independencia y, sobre todo, podría retomar sus estudios. Osvaldo fue tajante. "Olvidate. No se puede y punto". Para rematar el asunto, agregó una broma: "El otro día en la tele salió una viejita de ochenta y dos años que terminó la secundaria. Vos esperá un poquito más y vas a poder salir en la tele, cuando te recibas". Osvaldo terminó de hablar y lanzó una carcajada desafiante. Irma lo miró, indignada: "Por ahí salgo en la tele por otra cosa".

Un domingo de invierno, a la noche, Osvaldo le dijo a su mujer que se vistiera: irían a visitar a unos parientes. Irma estaba en la cama leyendo una revista, resfriada. Le dijo que estaba cansada, que era su día franco, que tenía ganas de quedarse acostada y que fuera él solo. "Dale, vamos juntos. Mis tías te quieren ver, también. ¿Qué te cuesta?". Irma siguió diciendo que no y Osvaldo tomó la cuestión como algo personal. Irma cerró la revista. Había llegado al límite de su paciencia. Con voz pausada le dijo que no se movería de la cama. Osvaldo le sacó la frazada e insistió. Irma empezó a gritar, descontrolada. "¡No tuve hijos, no pude terminar el secundario, no pude poner un mísero bar acá a la vuelta, no pude adoptar un bebé! ¡Por lo menos dejame en paz!"

Irma ya había saltado fuera de la cama y se había parado al lado de Osvaldo, para gritarle en la cara. Osvaldo, furioso, fue para la cocina, pero Irma ya no se podía contener. Le seguía gritando que era un fracasado, que no podía soportar que a ella pudiera irle bien, que hacía años que quería separarse de él pero que no lo hacía por cobarde.

Osvaldo, que ya había llegado a la cocina, se paró en seco. "¡Andate, entonces! ¡Y llevate también esta mierda!", le gritó a su vez, señalando la pecera y tirándola al piso de un puñetazo.

Irma se quedó inmóvil, viendo cómo sus siete peces de colores boqueaban en el piso, en medio de vidrios rotos, arena y adornos de plástico. Sin atinar a nada los miraba, llorando en silencio. La agonía de los peces tardaba en terminar: los segundos pasaban y los peces seguían retorciéndose con la boca abierta, hasta que al fin se quedaron quietos.

Osvaldo, acaso comprendiendo la gravedad de lo que había hecho, buscó un abrigo y salió.

Cuando volvió, dos horas después, Irma estaba sentada en una silla. En la mesa había una toalla donde había colocado a los pescados unos al lado de los otros. Los iba acariciando despacio, pasándoles el dedo por las aletas, rozándolos apenas.

Osvaldo la miró, pasó de largo y se fue a acostar.

Irma esperó que su marido se durmiera. Envolvió un pisapapeles muy pesado con uno de los pares de medias que él le había regalado para su cumpleaños anterior. Reforzó el envoltorio con otro par y fue al dormitorio. Se paró al lado de su marido, que dormía boca abajo y, sin prender la luz, le partió la cabeza con diez golpes certeros. Después se dio una ducha caliente, se puso una ropa abrigada y fue a entregarse a la policía. "Maté a mi marido, pero él no se dio cuenta".

Irma quedó detenida esa misma noche. Espera la sentencia mientras hace cursos de inglés y computación. Cuando alguna visita le pregunta cómo se siente en la cárcel, levanta los hombros y contesta, cansada: "No hay gran diferencia con mi vida de casada".

Lucía S.,
memoriosa

Desde una camilla ginecológica, con la vista nublada por la anestesia, Lucía S. planeaba su propia muerte. Su madre, Elisa, la había hecho peregrinar por distintos consultorios hasta dar con una médica que aceptó hacerle un aborto a pesar de los cuatro meses y medio que llevaba su embarazo. Los ruegos desesperados de Lucía no lograron quebrar la decisión de su madre: ese chico no podía nacer. "Sos una nena, no podés tener un hijo ahora", repetía Elisa mientras un taxi las llevaba desde la casa familiar en Belgrano hasta una clínica siniestra en Olivos.

Por eso, una vez que la intervención terminó, Lucía tomó coraje, miró a su madre a los ojos y le juró que nunca jamás la iba a perdonar. Y que ella misma se pegaría un tiro en el abdomen en cuanto la oportunidad fuera propicia. "Mirá que sos dramática" fue la respuesta de su madre, mientras la ayudaba a abrocharse la camisa y el pantalón.

El viaje de regreso fue fatídico. Lucía no paraba de llorar y de gemir mientras la madre miraba por la ventanilla con cara de hartazgo existencial. "Ya me lo vas a agradecer", fue su única reflexión.

Cuando entraron a la casa, encontraron a Andrés, el padre de Lucía, en su escritorio. Elisa, como si nada hubiera pasado, fue directo a la cocina a preparar el té. "Ya son las cinco y media, enseguida preparo todo. Tengo unos scons muy ricos que compré a la mañana".

Andrés siguió enfrascado en sus asuntos. Su trabajo de escribano, un trabajo que lo aburría notablemente, lo había convertido en un hombre taciturno y oscuro. Lucía corrió a encerrarse en su cuarto para llorar a sus anchas. El té lo tomaron Elisa y Andrés.

Cuando se enteró de su embarazo, Lucía no pensó en sus diecisiete años, ni en sus posibilidades económicas ni en su futuro como madre soltera y casi adolescente. No pensó en la reacción de su novio ni en la de su madre temible. De manera insospechada hasta para sí misma, en lo único que pensó Lucía fue en los rasgos de su futuro hijo. Estaba segura de que se le iba a parecer, lo cual era toda una garantía. Ella misma estaba feliz con su aspecto, con su pelo lacio y oscuro, sus ojos verdes amarillentos y su cuerpo de modelo. Trasladaba, con fascinación, sus propias facciones a las de un varoncito robusto y con la cabeza pelada. En ningún momento evaluó la posibilidad de tener una nena: la sola idea de repetir una relación como la que tenía con su madre la llenaba de espanto.

El embarazo fue producto de un descuido deliberado. Lucía había conocido a Santiago en su fiesta de quince años y ese mismo día empezaron un noviazgo pegajoso y simbiótico. Desde el instante en que él se acercó para saludarla, ella tuvo la intuición de que estaba conociendo al hombre de su vida, un concepto en el que ella creía religiosamente. Y eso mismo ("es el hombre de mi vida") es lo que decía Lucía cada vez que hablaba de su novio. Santiago compartía ese entusiasmo romántico, pero tenía además otros intereses: jugaba al rugby y al tenis, estudiaba alemán y tomaba clases de guitarra. Lucía, en cambio, a duras penas podía concentrarse en aprobar las materias del colegio secundario y dedicaba todo su tiempo libre a estar con su novio o a pensar en él.

Un buen día, Lucía decidió que no era necesario usar preservativos todo el tiempo sino apenas "los días peligrosos". Habló con Santiago, le dijo que tenía muy en claro cuáles eran sus días fértiles y cuáles no, e impuso un régimen sexual en el que había que cuidarse del embarazo apenas una semana por mes. Después de cuatro o cinco ciclos, las cuentas fallaron y Lucía advirtió que estaba embarazada.

A su novio le transmitió la noticia con alegría. Ni por un momento se le cruzó por la mente que ese embarazo podía significar un obstáculo: se trataba, más bien, de una señal del destino que le confirmaba que Santiago era, efectivamente, el hombre de su vida. Santiago, por su parte, tuvo un atisbo de malestar que fue borrado de un plumazo por el típico optimismo adolescente. Festejaron con un brindis de leche chocolatada ("estamos embarazados, no podemos tomar alcohol") y un pacto de silencio que no podía funcionar más que por unas pocas semanas antes de que la evidencia les cayera encima.

Los primeros tres meses pasaron sin ninguna de las molestias típicas del embarazo. Lucía apenas había aumentado de peso y tenía una pancita imperceptible. Pero casi llegando al cuarto mes, su cuerpo ya no era el mismo.

Una tarde, con un acceso de hambre, Lucía fue a la cocina a prepararse un sándwich. Su madre estaba sentada frente a una mesa mirando una revista y tomando un jugo cuando de golpe vio a su hija, parada de perfil. Se quedó helada. Lucía, al saberse mirada, hizo lo que no tenía que hacer: se dio vuelta, intentó taparse la panza con las manos y amagó con irse corriendo de la cocina para hacer un llamado telefónico. Elisa se levantó de un salto y agarró a su hija de un brazo. A gritos le preguntó si estaba embarazada, y Lucía, sin contestar una palabra, se puso a llorar.

El interrogatorio posterior fue duro. Lucía, temblando, admitió que hacía rato que había pasado por su tercera falta y pidió ver a su novio. Elisa cambió su estrategia y pasó del tono acusador al de una amiga comprensiva. Así, entre abrazos y palabras cariñosas, le explicó a su hija que ese embarazo le iba a arruinar la vida, y que la solución era evidente y sencilla: practicar un aborto. Por supuesto, jamás pronunció la palabra "aborto". "Tenés que sacártelo. Vas a ver que no es nada. No te va a doler". Astuta, evitó que Lucía se encontrara con Santiago y la atiborró de pastillas para dormir, mientras ella averiguaba direcciones de ginecólogos discretos. Las pesquisas resultaron más complicadas de lo pensado. El primer médico que visitó Elisa, con Lucía colgada de su brazo, adormilada y llorosa, fue terminante. El embarazo ya había pasado el cuarto mes, según el diagnóstico ecográfico, y un aborto a esa altura presentaba riesgos que él no estaba dispuesto a correr. La segunda consulta recayó en una médica joven que dijo lo mismo que el médico anterior y también se negó a practicar el aborto. Elisa, al borde de la desesperación, llamó al tercer y último número que le había dado su propia ginecóloga, con la advertencia de que se trataba de una médica cara y poco confiable. Lo era. No tuvo ningún reparo en aceptar el trabajo, triplicando el precio que hubieran cobrado los otros dos de haber aceptado. "Cuatro meses y medio de embarazo y diecisiete años de edad, una menor. Si me agarran, estoy hasta las manos", explicó la médica para justificar sus honorarios.

De vuelta en casa, Elisa habló con su marido y le dijo que era imperioso que Lucía se hiciera ese aborto. "Ella tiene que vivir como una adolescente normal, no hay otra alternativa", razonó. Le pidió el dinero, le contó a grandes rasgos algún detalle de la intervención y pasó por alto el tema de los riesgos. Obvió también el dato —no menor— de que la médica que operaría era la menos recomendada por su ginecóloga. Andrés miró a su mujer con preocupación pero hizo lo que solía hacer: dejar la decisión en sus manos. Le preguntó si creía necesario que fuera a hablar con la hija, pero Elisa descartó la idea con un gesto vago. "Yo me encargo. Son cosas de mujeres. Va a estar más cómoda conmigo". Aliviado, el padre estuvo de acuerdo y volvió a lo suyo.

La clínica era lúgubre, con paredes descascaradas y persianas bajas. En la sala de espera no había nadie. Cuando Lucía advirtió que no había vuelta atrás en la decisión de su madre, dejó de llorar y empezó a mordisquearse las uñas. Elisa, a cada rato, de un manotazo le sacaba a su hija los dedos de la boca. "Mirá cómo te dejás esas uñas, por Dios", arengaba.

Cuando apareció una secretaria para hacerlas pasar al consultorio, Lucía jugó su última carta: "Mamá, por favor, dejame que tenga al bebé. Te juro que lo voy a cuidar". Elisa, distante, se levantó de la silla y tironeó de su hija. "Vamos, nena, no va a ser nada".

Ya entrando al consultorio, Lucía se detuvo en seco y, cabizbaja, murmuró: "Si me hacés entrar ahí, nunca te voy a perdonar". La madre abrió la puerta y, arrastrando a su hija, entró.

Cuando volvió a su casa, Lucía corrió al teléfono y llamó a su novio para contarle. Unos años más tarde nunca pudo explicarse a sí misma por qué no había hablado antes con él para pedirle ayuda. Su analista le sugirió que ella, muy en el fondo, quería abortar, por lo cual evitó la compañía de quienes podían ayudarla. La reflexión de su psicólogo dio lugar a que, de inmediato, Lucía abandonara la terapia y se sumiera en un profundo estado de autocompasión.

Con su padre no habló una sola palabra de esa tarde en la clínica para abortos. Con su madre tampoco volvió a mencionar el tema, excepto un par de veces en las semanas que siguieron a la intervención. La relación con Santiago, en tanto, declinaba. Lucía no pudo perdonar que su novio tomara el hecho con tanto dramatismo inicial para, poco después, olvidar por completo la historia. Entre el enojo de Lucía —un enojo jamás verbalizado— y la permanente injerencia de su madre, que hacía lo posible para que la hija se olvidara de Santiago, el noviazgo no duró mucho más.

Elisa, entonces, se dedicó a distraer a su hija hasta que un tiempo después ella misma dio por terminado el episodio del aborto y lo olvidó. Cometió la torpeza increíble de suponer que su hija también lo había olvidado. Elisa inscribió a Lucía en clases de teatro, canto, piano, inglés y patín. Asumió el rol de madre-amiga y se empeñó obsesivamente en sacar a flote a su hija deprimida. Lucía, por su parte, estaba muy lejos de olvidar: cada vez que cerraba los ojos antes de dormir recordaba el momento en que, acostada en la camilla, le clavaban en su brazo derecho la aguja con la anestesia. Sin embargo, acataba las directivas de su madre sin chistar, más como un castigo autoimpuesto que por la intención de obedecer o las ganas de salir del pozo.

La relación entre la madre y la hija se fue haciendo más y más compleja. El odio oculto de Lucía aumentaba a la par que se profundizaba la ignorancia de Elisa por los sentimientos más elementales de su hija. La pasividad de Lucía, producto de la angustia y la sensación de no tener salida, era leída por su madre como una conducta infantil que le daba lugar a actuar con ella como si se tratase de una nena.

Uno de los rituales que más repetía Elisa era llevar a Lucía a comprar ropa. Por lo general, elegía tiendas de un estilo que no podía estar más lejos del que hubiera preferido Lucía por sí misma. Elisa le elegía ropa de señora mayor, y dentro de esos diseños vetustos iba directamente a las prendas ajustadas y encorsetadas. Se metía con su hija en los probadores y la ayudaba a cerrar botones asfixiantes y cierres herméticos. Al principio, Lucía no decía nada pero con los años empezó a emitir unas tímidas protestas que terminaban en una discusión absurda: Lucía anunciaba que esa ropa no le gustaba y que no la iba a usar. La madre, ofendida, contestaba que ella la compraría de todas maneras.

Por esos tiempos, Lucía empezó a estudiar abogacía. En realidad, había insinuado una preferencia por arquitectura, pero su madre la llevó a comer y le explicó que los arquitectos en este país no tienen trabajo, se dedican a manejar taxis y viven vidas miserables. El futuro seguro estaba en las leyes: su padre era escribano y ella no tendría más que recibirse de abogada para caminar directo al éxito económico y profesional. Lucía, que tampoco se desesperaba por la arquitectura ni por nada que no fuera el recuerdo de su aborto, dijo que sí.

Una tarde, volviendo a su casa, Lucía se detuvo frente a un jardín de infantes en el horario de salida. Empezó a mirar a los chicos que se encontraban con sus madres y tuvo una idea que le cortó el aliento: ¿y si su hijo estaba vivo?

En ese tiempo ella había preguntado y averiguado por otros casos de abortos. Tres compañeras de la facultad habían admitido, en una charla informal, haber abortado. Una de ellas, inclusive, contó que se había hecho nada menos que tres abortos. Lucía, al ser interrogada, dijo, enojada, que jamás sería capaz de hacer algo semejante. Pero lo que advirtió Lucía es que ninguna lo había hecho con un embarazo tan avanzado.

Corrió a su casa y empezó a investigar. La información que sacó de Internet la paralizó: hubo casos de fetos de veintidós semanas que habían sobrevivido. Y mucho antes que eso, ya tenían brazos, piernas, dedos. Lucía, frente a la pantalla de su computadora, sacó cuentas desesperadamente. Tantas ganas tenía de que su hijo estuviera vivo que al final se lo creyó.

La idea de tener un hijo perdido en el mundo se convirtió en una obsesión. Por unos meses no se lo dijo a nadie pero a la larga no pudo soportar el peso de la incógnita. Lo primero que hizo fue llamar a Santiago, a quien ya no veía pero con quien hablaba muy de vez en cuando por teléfono. Las llamadas eran siempre incómodas y distantes, pero esa vez Lucía propuso un encuentro. Santiago dudó pero al fin la invitó al departamento que acababa de alquilar y que en poco tiempo más compartiría con su nueva novia.

En el fondo, Lucía seguía tan amarrada al recuerdo de Santiago como al del hijo que no logró tener. Los dos elementos cruciales de su pasado estaban incluidos en un mismo compartimiento de su cabeza. Y a pesar de haber aceptado que esa relación sentimental había terminado, tenía la oculta fantasía de que en algún momento Santiago —el hombre de su vida— iba a reaparecer por una jugada mágica del destino.

La cita era a la noche, y Lucía le pidió dinero a su padre para comprarse ropa. Eligió un jean y una camisa, se pintó los ojos y fue a ver a su ex, el único hombre con el que había salido en toda su vida. A su madre le dijo que tenía que ir al cumpleaños de una compañera de facultad.

Santiago, que nunca había ocultado su nueva relación, la esperaba inquieto. Por algún motivo presentía que algo no funcionaba en los esquemas mentales de Lucía, y se sentía responsable.

El encuentro de la ex pareja fue por lo menos inesperado. Lucía llegó, se sacó los zapatos, recorrió el departamento de arriba abajo y al fin, como parte de su aprobación, se tiró encima de Santiago y lo besó.

La cita de esa noche dio lugar a una relación clandestina que duró muy poco. Santiago estaba entusiasmado por la novedad de un amantazgo, pero sin la menor gana de romper el compromiso con su novia oficial.

Durante las primeras veces que estuvieron juntos Lucía evitó mencionar el tema del hijo perdido, pero al fin abordó la cuestión. Santiago estaba azorado. Intentó explicar que un feto de cuatro meses y medio podía estar ya formado pero sin posibilidades de sobrevivir fuera del vientre materno. Lucía insistió y le rogó a su ex novio que la ayudara a buscar al hijo. Lo único que logró fue una mirada piadosa y la recomendación preocupada de volver al consultorio de su psicólogo.

Para Lucía era crucial que su madre no se enterara de su nueva sospecha. Para ella, su madre era su enemiga, una enemiga a la que había que engañar haciéndole creer que todo estaba bien entre las dos. Pero cada día era más difícil mantener la ficción. La sola presencia de su madre despertaba en Lucía instintos violentos que tenía que controlar.

Una tarde, volviendo de la casa de una compañera de estudios, decidió pasar por una iglesia. Allí, mientras estaba rezando, vio que en la fila de adelante había una mujer embarazada. Cuando la mujer se levantó, Lucía se acercó y empezó a hablar con ella. Resultó que el embarazo había tenido sus complicaciones pero ahora todo empezaba a funcionar bien. Sin saber por qué, Lucía le dijo a la mujer que ella estaba buscando un embarazo pero que no lo conseguía. "Tenés que pedirle ayuda a San Ramón Nonato, que es un santo buenísimo que te va a solucionar todo", dijo la embarazada, mientras le tendía una estampita que sacó de su bolso. Fue el principio de un delirio místico ingobernable. Lucía leyó el reverso de la estampita: "A ti acudo, glorioso San Ramón, en estos días que preceden a mi maternidad, para implorar de tu mediación la gracia de un parto feliz que, colmando mis deseos, premie mis esperanzas. Como protector de las que vamos a ser madres nuevamente, por tus méritos e intercesiones, te suplico que la nueva vida que has hecho germinar en mí venga feliz a aumentar el número de tus hijos. Por Jesucristo Nuestro Señor, Amén".

El mayor impacto fue leer el párrafo que mencionaba a "las que vamos a ser madres nuevamente". Sintió que se trataba de un mensaje divino que le decía claramente que el bebé abortado debía vivir en algún lado. Lo peor es que no tenía a nadie a quien acudir en busca de ayuda. La única posibilidad había sido Santiago, y él desbarató sus planes de búsqueda con un solo gesto de incredulidad y lástima. Sola, sin nadie que compartiera la pesadilla de la búsqueda, contaba apenas con su propia constancia y la compañía etérea de San Ramón.

La investigación acerca de su hijo no dio ningún resultado. Lucía revisó las agendas de su madre buscando el nombre de su ginecóloga, pero no figuraba. Trató de recordar el periplo del taxi que la había llevado a la clínica de Olivos pero no pudo hacerlo: esa tarde estaba demasiado nerviosa y dopada como para ubicar con exactitud la zona. Tenía presente, sí, que habían dado muchas vueltas, pero nada más.

Su profesora de yoga, alarmada por el estado nervioso de su alumna, le recomendó un psicólogo amigo. Lucía accedió y fue a varias sesiones, con la esperanza de que el psicólogo pudiera ayudarla a encontrar a su hijo. Pero cuando pudo al fin verbalizar sus sospechas, la respuesta del analista fue inapelable: "Usted sabe que eso es una fantasía, ¿no?". Derrotada, ella dijo que sí, que sabía, y no volvió al consultorio. Por un tiempo también abandonó la búsqueda, y se dedicó exclusivamente a lograr la ayuda divina a través de San Ramón.

Una noche cerró su cuarto con llave, sacó las cosas de un aparador y colocó la estampita que le había regalado la mujer embarazada, además de otra mucho más grande que había comprado en una santería. Las ubicó delante de un espejo y después puso flores blancas y prendió velas. Apagó la luz del dormitorio y, alumbrada por las velas, improvisó su plegaria personal: "San Ramón, San Ramoncito, ayudame a encontrar a mi hijo, te pido por favor. Y mientras tanto cuidalo mucho, tratá de que esté bien, que esté contento. Que no pase frío ni hambre. Que esté sanito. Por favor por favor por favor, ayudame a encontrarlo y cuidámelo mucho, que con vos va a estar bien".

Cada mañana Lucía desarmaba su altar y lo volvía a armar a la noche, cuando se iba a dormir y cerraba con llave la puerta de su dormitorio, sin que su madre lo advirtiera. Pero una noche su madre la llamó y ella, sin pensar en el santo, abrió la puerta. Cuando su madre vio el altar, se enfureció. Hacía varios meses que la relación entre las dos era cortante e incómoda, y en ese instante Elisa creyó ver el origen del conflicto.

"A ver, nenita, ¿por qué no sacamos todo esto y vamos a comer? ¿No ves que estas estampitas te van a enfermar? ¡Si ya te están enfermando!" Mientras la madre decía esto, iba sacando las estampitas y apagando las velas, hasta que Lucía le agarró el brazo y la frenó. La miró de frente y le dio un empujón, tratando de hacerla salir de su cuarto. Hasta ese momento, jamás se había atrevido a tanto. Pero el empujón abrió la puerta a la violencia contenida de una y otra. Elisa zafó de la hija y empezó a gritar. "¡Por eso! ¡Por eso estás tan agresiva conmigo! ¡Porque estás loca! ¿Desde cuándo te volviste chupacirios?" La hija, amedrentada, asustada por su propia actitud de unos segundos antes, se quedó quieta en un rincón. La madre aprovechó la situación para volver sobre sus pasos, agarrar las estampitas y romperlas en pedazos.

La destrucción de las estampitas dio lugar a un recrudecimiento del odio de Lucía hacia su madre. Hastiada, esquivó a su padre, que, ajeno a todo, miraba televisión en el living, y salió a la calle. Caminó unas cuadras y se sentó en un umbral. En todo momento imaginaba que su madre estaba en la cocina de su casa y que ella aparecía por detrás y le clavaba un cuchillo en la espalda. Esa imagen era lo único que la calmaba y sostenía. Y no era la primera vez que imaginaba la muerte de su madre. Había imaginado cientos de muertes distintas. La matadora siempre era ella y la muerta, en circunstancias dolorosas y a veces sádicas, siempre era su madre. La recreación de esa escena fue lo único que la ayudó a dormir desde el día del aborto en adelante, durante casi diez años: Lucía se acostaba, cerraba los ojos y mataba mentalmente a su madre de todas las formas imaginables. Recién entonces se podía dormir.

Pocos días antes de su casamiento, Santiago llamó a Lucía para despedirse. Se citaron en un bar. Lucía estaba desolada. No podía entender cómo y en qué momento todo se había desbandado. El amor de su vida estaba por casarse con otra, el hijo que habían tenido había desaparecido y el que podrían haber tenido después, nunca iba a existir. Empezó a pensar en el momento en que había quedado embarazada y en todos los errores que había cometido: el principal y más dramático había sido haber acatado siempre las decisiones de su madre. Pensó que una vez producido el embarazo tendría que haber hablado con Santiago, lograr que uno y otro consiguieran un trabajo, acaso pedir ayuda a su padre y empezar una vida en común, los dos casados y criando al bebé. En vez de eso sucumbió a las presiones de Elisa, no hizo gran cosa por obtener la ayuda de su novio y tiró su vida por la borda. Lucía levantó la vista de su café con leche y miró a Santiago, el que había sido el hombre de su vida pero ya no podría ser.

La mirada retrospectiva de su vida resultó devastadora para Lucía. Desde sus veintisiete años analizaba su conducta de los diecisiete, y todo le parecía imperdonable. Santiago captó la tristeza de su antigua novia y trató de ayudar. Ni por un momento pensó que el planteo interior de Lucía incluía el aborto, la fantasía del hijo vivo y la angustia por el hombre de su vida que pronto sería de otra mujer. Para él, se trataba del despecho por el casamiento inminente. Por eso, cuando trató de explicarle que el noviazgo de ellos había sido una cuestión adolescente que había que recordar con ternura, ella explotó. Le habló entonces del hijo, de San Ramón, de la desgracia de perder al hombre que el destino le había asignado desde su cumpleaños de quince, y de la tremenda mala suerte de tener una madre cruel como la suya. "Ella me arruinó la vida, y nunca, jamás, se lo voy a perdonar", fue el lúgubre final de su monólogo. Abrumado, Santiago le preguntó si alguna vez había hablado francamente con su madre y le había dicho lo que pensaba de ella. Lucía lo miró con una sonrisa irónica. Su ex novio, era evidente, no entendía nada. Antes de irse, Santiago sólo atinó a decirle que lo mejor sería arreglar cuentas con su madre lo antes posible. Lucía lo miró asombrada. "¿Sabés que tenés razón? Ya es hora".

Esa noche, cuando Lucía llegó a su casa encontró a sus padres comiendo en la cocina. Su padre la miró con cariño y le preguntó por los exámenes que estaba a punto de rendir. Lucía le explicó, con tono académico, el estado de su carrera. Elisa, en tanto, terminaba de freír las últimas milanesas e interrumpía el relato de su hija para comentar detalles menores de su vida doméstica. Lucía la miró y cayó en la cuenta de que ella jamás tendría una vida doméstica normal, porque sus pensamientos estaban demasiado contaminados por el pasado.

Elisa dejó de hablar y se dedicó a masticar una milanesa con ansiedad. Comía vorazmente, sin levantar la vista del plato. Su padre apenas probó un poco de ensalada y anunció que se iba a acostar porque al día siguiente tendría reuniones desde muy temprano.

Madre e hija, solas, se concentraron en la comida. Lucía no podía tragar. Se levantó y fue a su cuarto. Cuando volvió, su madre seguía comiendo. Se estaba sirviendo otra milanesa sin haber terminado la anterior. Lucía la miró con disgusto. En la mano tenía un revólver que había comprado cuatro años antes. "Mamá", fue lo último que dijo, en un susurro, antes de dispararle cinco balazos.

Lo primero que le contó Lucía a la policía fue que había estado preparando esa muerte durante diez años. "Antes no podía matarla porque estaba débil. Pero en estos diez años, desde el día de mi aborto hasta hoy, me fui entrenando y poniendo fuerte para matar a mamá. Es raro, pero la verdad es que yo no podía vivir si ella también estaba viva".

Lucía fue declarada inimputable. Está internada en un instituto psiquiátrico desde abril de 2001. Recibe la visita de su padre dos veces por semana.

Mercedes G.,

virgen

Las dos únicas cosas que a Mercedes G. le producían orgullo eran su flacura y su virginidad.

Había cumplido treinta años y se sentía una perdedora. Vivía con su familia, estudiaba historia a ritmo lento, no tenía pareja ni trabajo ni amigos, se veía fea y sospechaba que nadie la quería ni la había querido nunca.

La imagen patética que Mercedes tenía de sí misma la obligaba a replegarse en su propio mundo: se encerraba en su cuarto a estudiar, a leer y a imaginarse el momento en el que, por un milagro divino, las cosas cambiarían. "Dios me va a ayudar a salir de esto", decía siempre, en cuanto alguien le preguntaba por cualquier cosa de su vida.

Su hermana Olga, dos años menor, era la contracara de Mercedes: alegre, atractiva, vanidosa. Vivía unos días en su casa y otros en la casa de su novio, trabajaba en una inmobiliaria, ganaba bastante dinero, los hombres la perseguían y era la preferida de sus padres. Era contadora y estudiaba abogacía.

Las diferencias atormentaban a Mercedes, que dedicaba muchas horas a plantearse las causas de tanta injusticia. Sospechaba sin embargo que su situación iba a mejorar porque creía ciegamente en Dios y en los preceptos católicos. Tres veces por semana iba a la iglesia a disculparse por sentir rencor y envidia de su hermana, y a pedir por su propia felicidad.

Chela, la madre, sentía pena por Mercedes y admiración por Olga. Cuando sus hijas eran chicas no imaginaba que la adultez las cambiaría de manera tan radical: en la infancia Mercedes era activa, vivaz, emprendedora. Arrastraba a Olga a todo tipo de actividades, la incluía en su grupo de amigas y le explicaba las reglas de los juegos escolares. En la adolescencia, sin embargo, algo falló en su mecanismo psicológico. Se volvió taciturna y desganada, y poco a poco se fue convirtiendo en la sombra de su hermana. Chela, consternada, no supo qué hacer ante la debacle de su hija, pero al fin decidió que no podía intervenir en la naturaleza de las cosas. Luis, el padre, calmaba a su mujer diciéndole que lo más normal era que la gente evolucionara de manera diferente. Con el tiempo, él también fue desentendiéndose de la hija rara y apegándose a la hija encantadora.

Mercedes llevaba una rutina sin alteraciones: se levantaba a las ocho, desayunaba, se iba a su cuarto a estudiar, almorzaba con su madre y salía para la facultad. Volvía a la noche, seguía estudiando, comía con su familia y otra vez al cuarto a estudiar.

Las cenas familiares eran, para ella, desesperantes. El padre contaba parsimoniosamente los problemas de la compañía de seguros donde trabajaba. La madre —que desde hacía un tiempo asistía al esposo con los seguros— agregaba anécdotas banales a los relatos. Olga, por su parte, terminaba siempre monopolizando la conversación: explicaba los avances en su carrera como abogada, celebraba la venta de algún departamento en la inmobiliaria donde trabajaba y describía episodios maravillosos de su noviazgo con Daniel, un médico prometedor y abnegado. Mercedes, sombría, escuchaba la charla sin agregar una palabra. Se esforzaba por sonreír cuando todos se reían, o adoptaba una expresión atenta cuando contaban algo importante, pero eso era todo. Su familia en pleno hablaba y se transmitía información, pero ella no tenía nada para decir. Volvía a su cuarto frustrada, y recitaba para sí, en voz baja, todo lo que podía haber dicho durante la cena. A veces, cuando la hermana le recriminaba el silencio permanente, ella se desesperaba. "¿Qué querés? A mí las cosas se me ocurren tarde".

La única persona a la que Mercedes quería de verdad era a Chela, su madre.

Pero, aun con buena voluntad y ganas de engañarse, no advertía ninguna reciprocidad en ese afecto y vivía con la angustia interminable de creer que la preferida era la hermana. Más de una vez Mercedes le preguntó a su madre las causas de tanta desigualdad afectiva. La respuesta era directa: "Las quiero a las dos por igual pero con tu hermana somos más parecidas y por eso nos llevamos mejor".

Mercedes protestaba como una novia despechada, y se preguntaba, en sus horas de angustia, si valía la pena seguir con sus estudios: había elegido la misma carrera que la madre para tener con ella algo en común. La estrategia no había dado ningún resultado y Mercedes tuvo la certeza de que jamás lograría desbancar a Olga en la pre-

189

ferencia materna. Chela, impresionada por la sumisión de Mercedes, le decía siempre, como para conformarla, que estaba feliz de haberle transmitido el amor por la historia.

Pero la carrera de Mercedes tampoco avanzaba. Le costaba concentrarse y cada vez más prefería los libros de autoayuda a los de la facultad. Obviamente, el incentivo de un acercamiento con Chela ya había dejado de funcionarle como anzuelo: una vez que se convenció de que su madre nunca la querría más de lo que la quería, aflojó el ritmo de estudio a niveles precarios. A pesar de todo, estaba dispuesta a no abandonar y recibirse. A su hermana le faltaba poco para terminar su segunda carrera y ella, al menos, tenía que conseguir un título.

Antes de cumplir dieciocho años, Mercedes había empezado a llevar a un amigo a la casa. Ella estaba terminando el colegio secundario y el chico era un compañero nuevo de la clase. Los dos estaban entusiasmados con la posibilidad de salir juntos, pero Olga se interpuso. La hermana menor aparecía con remeras apretadísimas que le marcaban las tetas, y se sentaba en medio de los dos, interrogando al candidato de su hermana sobre todo tipo de cuestiones: su técnica para jugar al rugby, su opinión sobre la directora del colegio, su relación con los compañeros o lo que fuera. Cuando él contestaba, Olga lo miraba con atención desmedida, mientras Mercedes, un poco apartada, veía que sus posibilidades de ponerse de novia disminuían dramáticamente. Un día, él llamó por teléfono. Atendió Mercedes, y después de haber hablado unos minutos, el chico le pidió, sin vueltas, que le pasara con Olga.

Mercedes lloró a mares y le reprochó a la hermana su traición, pero Olga no estaba hecha para la culpa: le dijo que no podía imaginar que tenía esas intenciones con el compañero. "Si sabía, lo hubiera convencido para que se pusiera de novio con vos", le dijo, con crueldad y soberbia.

Nunca más Mercedes volvió a llevar a nadie a su casa. Su hermana, en cambio, llevaba novios de todas clases. No le duraban nada pero se divertía y divertía a sus padres con sus relatos, donde ella siempre era la chica atosigada por el amor de los demás, a quienes tenía que ahuyentar como a moscas.

Mercedes vivía asustada ante la posibilidad de repetir la misma experiencia nefasta. Tuvo un novio mucho tiempo después de aquel intento, pero vivía el noviazgo con tanta tensión y angustia que acabó arruinándolo. El novio le dijo que quería cortar la relación y desapareció. Mercedes lloró y se lamentó durante semanas, pero al fin se calmó. Había empezado a leer unos libros de budismo en los que se hablaba de la supresión del deseo con el fin de evitar el sufrimiento. Era todo lo que quería escuchar: si dejaba de desear una pareja maravillosa y decidía estar sola y tranquila, no iba a tener que sufrir con el inevitable final. Una noche, un poco más segura de sí, se animó a romper con el silencio de las cenas y planteó, en la mesa, su último descubrimiento filosófico. Luis, el padre, le dijo que compartía la idea. En realidad, estaba contento de verla animada, participando de la dinámica de la familia, y no quería desalentarla. La madre la miró con preocupación y asombro, y Olga descartó las ideas budistas sin contemplaciones. Cambió de tema y pasó a contarles la gran novedad: ella y su novio habían resuelto casarse.

Con el casamiento en puerta, toda la atención se focalizó en Olga. El poco interés que despertaban las actividades de Mercedes se disipó por completo. La hija mayor se convirtió en una especie de fantasma que vivía en la casa, que abría y cerraba puertas y que muy de vez en cuando se cruzaba con alguien. Olga, por su parte, quería estar más flaca para su boda y había empezado a ir a un centro de estética para hacer un tratamiento rápido. Mercedes veía con satisfacción los esfuerzos de su hermana para bajar unos kilos y se paseaba frente a Olga en camisón, para alardear de su físico esmirriado. Era el único punto donde podía competir con su hermana y ganarle, aunque no le servía de mucho: la delgadez extrema de Mercedes acentuaba sus rasgos duros y le daba un aire desvalido y enfermo que no la favorecía. Volvía a perder, entonces, frente a la exuberancia sexy de la otra. Pero Mercedes pasaba por alto las cuestiones subjetivas y se concentraba en la objetividad de la balanza.

Sentada a la mesa veía a su hermana sufriendo frente a un plato de ensalada mientras los demás comían otra cosa. Con gesto preocupado, Mercedes se atiborraba de comida engordante y se preguntaba, sobradora, si no estaría enferma. "Qué raro... Me la paso comiendo y cada vez peso menos, increíble", se jactaba, mirando de reojo a Olga para ver su reacción.

Una vez que terminaba las comidas, iba al baño a vomitar.

El tratamiento estético de Olga abrió un frente de conflicto inesperado: el uso del baño. En la casa había dos, pero las hijas no usaban el de los padres. Nunca se habían peleado por el uso del que les correspondía a ellas porque tenían horarios diferentes. Pero ahora Olga iba al centro de belleza temprano por la mañana, y se bañaba antes. Mercedes no tenía que salir de la casa hasta después del mediodía pero insistía en que no podía ponerse a estudiar sin haber tomado previamente una ducha. Las peleas se repetían cada mañana hasta que Chela tomó partido e intercedió a favor de Olga.

Mercedes acató, furiosa. Pasó el día entero sintiéndose víctima de otra injusticia más y a la noche se encerró con su madre para plantear su problema: si la hermana usaba el baño antes, ella perdía tiempo para estudiar, y el estudio era más importante que la celulitis. Pero la madre no cedió. Para Mercedes, fue demasiado. Antes de ir a dormir buscó un plato y un encendedor y los llevó a su cuarto. Se encerró. Sacó del armario su álbum familiar y recortó con mucho cuidado la figura de Olga. Estudió con odio la imagen de su hermana y fue quemando las fotos una por una sobre el plato, pidiendo, en voz baja, como si se tratara de un mantra, que le hiciera el favor de morirse.

Poco después, Chela y Luis decidieron festejar sus treinta y cinco años de casados. Hicieron una reunión en la casa con parientes y amigos. Olga invitó a su novio y a un grupo de compañeros de trabajo y de facultad. Mercedes no llevó a nadie. No soportaba la idea de que la compararan con su hermana, o que advirtieran que su papel en la familia era nulo.

Los días previos a la fiesta, Mercedes los pasó muy cerca de su madre. Obsesionada por ganar su afecto, la ayudó a hacer las compras, a arreglar la casa y a preparar la comida. Fue un período glorioso. Pasaban horas juntas en la cocina, con las manos llenas de harina, charlando de historia, de la familia y de religión. En esos días Olga se había quedado en la casa de su novio, con lo que la felicidad era completa. Luis, que llegaba a la noche, parecía aliviado al ver a la hija activa y animada.

Chela le sugirió que se comprara un vestido nuevo para la fiesta y fueron juntas a elegirlo. Mientras buscaban, la madre intentó indagar sobre la vida afectiva de la hija. Corroboró lo que ya sospechaba: que su hija vivía en la más completa soledad. Pero se enteró de una novedad: que había decidido no volver a tener pareja y estaba —según sus palabras— enamorada de Dios. "Me quiero morir virgen", le dijo a la madre, con ilusión. Había pensado que ese rasgo de carácter haría que su madre la viera con más respeto y admiración. Nada más lejos de la realidad. Su madre quedó espantada por la noticia y esa misma noche tuvo una charla seria con su marido. Pensaron que lo mejor sería llevar a la hija a un psicólogo y se lo plantearon al día siguiente. Mercedes escuchó la oferta profundamente ofendida. No podía creer que le estuvieran proponiendo algo semejante. "Me quieren sacar de encima, por eso me quieren llevar al psicólogo", repetía, desolada. Los padres intentaron calmarla, pero no hubo manera. Mercedes ató cabos: la trataban de anormal porque no se quería casar, como su hermana.

Cuando llegó a esa conclusión, decidió que no valía la pena seguir luchando. "Haga lo que haga, nunca voy a ser como ella y nunca me van a querer".

Una mañana Mercedes se levantó dispuesta a terminar un trabajo práctico para la facultad y fue a tomar la rutinaria ducha. El baño estaba ocupado por Olga, que había vuelto a la noche tarde sin que su hermana la escuchara. Empezó a golpearle la puerta, furiosa. "¡Necesito el baño ahora! ¡Tengo que estudiar!"

Mercedes siguió gritando un rato largo, hasta que la hermana salió del baño, vestida y espléndida. Olga la miró, haciendo foco en su cara ojerosa y su pelo desgreñado, y no dijo una sola palabra. Pero la mirada había sido lapidaria. Esa mirada le decía que por más baños y duchas y clases de historia que tomara, nunca jamás iba a ser como ella.

Una tarde en la que había quedado sola en la casa, Mercedes fue al cuarto de Olga a revisarle las cosas. Entró sigilosa y se puso a investigar. Su hermana tenía muchísima ropa, acomodada por colores, y una cantidad incomprensible de maquillajes. Revisó todo sin saber qué buscaba: apuntes de la facultad, papeles de trabajo, hojas sueltas que había en el escritorio. Encontró una serie de fotos que no había visto nunca. En todas veía a la hermana sonriendo y haciendo mohínes a la cámara, como si estuviera imitando a una modelo. Estuvo un buen rato mirándolas, tentada de romperlas o quemarlas, pero las dejó. Debía haber otra cosa y la iba a encontrar.

Mientras revolvía cajones y estantes rezaba en voz baja pidiéndole a Dios que la perdonara por odiar a su hermana, por envidiarla y por desearle la muerte. En eso estaba cuando abrió una cartera y encontró una carta. La sacó del sobre blanco y la leyó. Con asombro se enteró, en ese momento, de que su hermana tenía un amante.

Esa noche Mercedes encontró a su madre en la cocina, preparando la cena. Triunfal, le tendió la carta: "Mirá vos tu hija preferida, lo buena que es". La madre, sin entender, abrió el sobre y leyó. Apagó los fuegos y encaró a su hija con indignación. "Las dos son una porquería. Ella por engañar al novio y vos por bocona y por revisar cosas ajenas".

Enseguida llamó por teléfono a Olga y le dijo que fuera a la casa urgentemente porque tenían que hablar.

Cuando Luis llegó de su trabajo fue testigo de una pelea monumental entre las tres mujeres de la casa. Los gritos se escuchaban desde la vereda. Chela, alteradísima, le recriminaba a Olga su infidelidad, le preguntaba para qué quería casarse en esas condiciones, y le aseguraba que si no ponía un punto final a ese romance paralelo, ella no aparecería el día del casamiento. Olga lloraba y se quejaba amargamente por la mala suerte de tener una hermana como Mercedes, "resentida, envidiosa y fea". Y Mercedes, en un arranque místico, le preguntaba a Dios, con voz atronadora, por qué la había creado así como era y por qué había permitido que su hermana actuara como una traidora.

La escena terminó cuando Luis se asomó a la ventana y vio a dos de sus vecinas paradas en la vereda escuchando la pelea. Bajó la persiana del living y fue a la cocina a poner orden. Pidió que todas dejaran de gritar y que se comportaran en forma civilizada. Por un momento las tres se callaron. Mercedes fue la primera en hablar. Se paró frente a su madre y le dijo lo que tenía atravesado desde hacía tiempo. "Yo sé que no valgo nada para vos. Pero mirá a quién querés: a una puta cualquiera".

Mercedes pasó toda la noche sin dormir, tratando de apaciguar su espíritu de venganza. Rezaba frenéticamente para controlar el impulso de matar a su hermana. Cuando advirtió que su instinto asesino no cedía, empezó a escribir en un cuaderno. Era una estrategia que había aplicado desde la infancia: escribía cosas para convencerse de que eran ciertas o para obedecerse a sí misma y ejercitar un mínimo autocontrol. Y aplicaba el método para todo. De hecho, en sus cajones había hojas y hojas donde aparecían leyendas repetidas hasta el cansancio, escritas con letra ínfima. "Hoy no voy a comer helado", "Empiezo las clases de yoga", "No voy a llamar a nadie por teléfono". Mercedes guardaba sus escritos para después recordar los distintos procesos de su vida.

Esa noche las frases eran más impactantes: "No voy a matar", "No soy fea ni tímida ni tonta", "Dios me va a entender". Mercedes escribió y escribió hasta que ya al amanecer se quedó dormida.

A las ocho de la mañana del día siguiente, Mercedes se despertó sobresaltada por un ruido de agua. Aturdida por el sueño, pensó que llovía, pero enseguida se dio cuenta de que estaba escuchando la ducha del baño. Olga, una vez más, le había ganado de mano. Se levantó de un salto y fue a golpearle la puerta y a pedir que le dejara el baño libre y que fuera a ducharse a lo de su novio o a lo de su amante. La respuesta se hizo oír enseguida. "Por lo menos tengo novio y amante, no como otras, que siempre están solas y por algo será".

Mercedes se sintió herida y rabiosa. Abrió la puerta, que esa vez su hermana había dejado sin llave, y entró. Olga estaba frente al espejo colocándose máscara para pestañas. "Puta, ¿te estás arreglando para quién?". Olga miró a su hermana por el espejo y le dijo que se fuera. Mercedes se acercó, le arrebató el portacosméticos y lo tiró al suelo. Fue el inicio de la pelea. Las dos empezaron a forcejear. Mientras le sujetaba el brazo a la hermana para evitar los golpes, Olga le dijo que fuera nomás a contarle a la madre que estaban peleando: "Andá y decile a mami que tu hermanita mala te pegó". "La nenita de mamá sos vos, no yo", contestó Mercedes mientras empujaba a su hermana contra la bañera y le golpeaba la cabeza contra el borde. Siguió golpeando hasta que la sangre tiñó la loza blanca. Histérica, sin poder contenerse, la acomodó dentro de la bañera, puso un tapón en el desagüe y abrió las canillas de agua fría y caliente. Olga, desmayada por los golpes, estaba boca arriba mientras el agua le caía sobre la cara hasta que la cubrió por completo. Mercedes estaba sentada encima, en camisón, temblando, sosteniendo la cabeza de la hermana mientras le decía, jadeando, que terminara de morirse. "Morite de una vez, puta. Andá a hacerles caritas a los gusanos".

Mercedes fue detenida pocas horas después de matar a Olga. Cuando la policía la interrogó no dijo una sola palabra. Sin embargo, al día siguiente, le contó el crimen, en detalle, a una psicóloga forense. "De todo me acuerdo. Fue horrible, porque yo sabía que la estaba por matar y no me pude contener. Una vez que empecé tenía que terminar. ¿Vio cuando los gordos dicen que si agarran una caja de bombones tienen que comerlos todos? A mí me pasó lo mismo: empecé a golpear y a golpear y a golpear y no podía parar... Usted se va a reír pero lo que me mortifica bastante es lo de los gusanos. Eso estuvo mal, y de eso sí me arrepiento un poco. Yo no tendría que haberle dicho lo de los gusanos, pero ella me hacía caritas, debajo del agua. Bueno, seguro que no eran caritas, pero en ese momento a mí me pareció eso... Lo bueno es que ya pasó todo y ahora entiendo más las cosas. Por ejemplo, me di cuenta de que Dios no existe porque no me ayudó. Yo siempre le pedía ayuda, pero nada. Y también me di cuenta de que tan fea no soy porque los policías me miraron, y cómo me miraron. Mi hermana estaba ahí pero a la que miraron fue a mí".

Mercedes G. fue declarada inimputable. Estuvo internada en un instituto neuropsiquiátrico del interior desde 1984 hasta 1996.

Su madre murió en el año 2001. Ella se casó en 2002 y se instaló con su marido en Uruguay.

Ana L.,
sadomasoquista

〜・〜

Después de seis años de noviazgo formal y anodino, Ana L. consiguió casarse como siempre había querido: con vestido blanco, ramo, fiesta y cintitas en la torta. Jorge, el novio, vivía su casamiento con menos entusiasmo: todo le parecía caro e innecesario.

El dinero no les alcanzó para irse de luna de miel. Se conformaron con pasar la noche de bodas en un hotel tres estrellas. Ana entró al cuarto con la fascinación de una nena. Revisó la cama, las almohadas, el colchón, las luces, el control remoto del televisor. Fue al baño y se quedó un rato viendo frasquitos de shampoo y —lo mejor de todo— una bañera con hidromasaje.

Salió del baño y fue a contarle de su descubrimiento a Jorge, que ya estaba en calzoncillos, no les dio la menor importancia a los artefactos del baño y la llamó, cariñoso. La sentó en la cama, le desabrochó el vestido y le sonrió: "Es nuestra noche de bodas, tenemos que probar algo nuevo". Ana terminó de sacarse el vestido y le dio un beso cariñoso en la mejilla. Le sugirió que lo mejor sería darse un baño y dormir doce horas seguidas. Pero Jorge ya había sacado de su bolso de mano un maletín de cuero negro. Lo abrió y lo dejó en la mesa de luz. En la mano tenía una tira de seda negra y unas esposas de metal. "Vení, recién casada, que te tapo los ojos". Ana aceptó, riéndose a carcajadas. Jorge le cubrió los ojos y le colocó las esposas, sujetándola a la cabecera de la cama.

Jorge empezó a besarla y a tocarla muy lentamente, mientras le decía que se quedara tranquila. Poco después vino el primer golpe, un cachetazo que la tomó de sorpresa y la llenó de indignación. "¡Hijo de puta! ¡Me golpeaste! ¡Me arruinaste el casamiento!" Ana empezó a llorar, sorprendida por lo que acababa de pasar. Estaba esposada y se sentía indefensa y humillada.

Esa noche conoció por primera vez la faceta sadomasoquista de su marido flamante.

El lunes siguiente al casamiento, Ana y Jorge retomaron sus respectivos trabajos. Ella como maestra de escuela primaria y él, haciéndose cargo de su kiosco.

Ana no le contó a nadie aquel episodio de las esposas, y creyó que se trataba de una excentricidad atribuible a los nervios de la fiesta. Pero menos de un mes después, Jorge volvió a insistir con el asunto. Ana se negó durante un buen rato pero al fin accedió: creía que si se negaba, él dejaría de quererla o se buscaría una nueva compañera de aventuras sexuales. Y como ella esperaba por sobre todas las cosas que Jorge la quisiera, lo dejó hacer. Una vez más irrumpieron las esposas de metal, las vendas negras y el cachetazo, que en esa ocasión se repitió varias veces.

A partir de esa aceptación, la vida sexual de Ana y de Jorge no volvió a ser lo que había sido. Jorge ya no quería volver atrás, y condujo a Ana por el mundo sadomasoquista sin mayores contemplaciones.

Ana protestaba pero, a fuerza de repetir las mismas escenas, terminó aceptándolas como algo natural. El sexo para ella no era ropa interior con encaje, velitas aromáticas y luz difusa, sino cuero negro, látigo y cuerdas para atar. Y así como la rutina de las posiciones repetidas y el sexo desapasionado se instalaba poco a poco en la mayoría de las parejas, a ellos se les instaló el hábito de los golpes, los machucones y las lastimaduras.

Un año después de la boda, Ana quedó embarazada. Jorge interrumpió de inmediato toda práctica sexual con su esposa y estrechó su relación con una uruguaya apodada "la Turca". Los dos se conocían desde antes del casamiento de Jorge y, en rigor, había sido ella quien lo había iniciado en el sadomasoquismo básico.

Jorge volvió, entonces, con su amante. Pasaba horas frente al espejo preparándose para salir. Estaba obsesionado con la pulcritud de su cuerpo y la prolijidad de su aspecto en general: instaló en el baño varias lámparas potentes para detectar posibles imperfecciones. Se peinaba con gomina, se sacaba con una pinza de depilar los pelos del entrecejo, se afeitaba dos veces al día, se lavaba los dientes con bicarbonato para blanquearlos y les daba a las uñas unas pinceladas de barniz transparente.

Su mujer, aturdida por un embarazo difícil, lo miraba hacer con cierta inquietud. Él le explicaba que se arreglaba para salir con amigos, aunque era evidente que había algo más.

A Ana le preocupaba que él pusiera tanto cuidado en su arreglo personal: además de parecerle poco masculino, la alertaba sobre una posible infidelidad. Pero no atinaba a reaccionar por el mismo motivo por el que tampoco había reaccionado, en su momento, cuando él la ataba y la golpeaba: por temor a perderlo.

En la mitad del embarazo, Ana renunció a su trabajo de maestra y se quedó en su casa. Pasaba sola la mayor parte del tiempo: de día Jorge estaba en el kiosco, y de noche salía al menos tres veces por semana a encontrarse con la Turca. De esas salidas nocturnas, a veces volvía con heridas de guerra, por lo general cortes superficiales en la espalda y los muslos.

Ana, que ya había sufrido cortes similares, los reconoció enseguida en su marido. No había sido ella la que le había pasado una navaja afilada por la piel. Las heridas eran, entonces, una comprobación indiscutible de que Jorge la engañaba.

Al principio lo enfrentó a los gritos, pero Jorge negaba todo, abrazándola y explicándole que, en su estado, no podía ponerse nerviosa. Después, cuando Ana volvió a verle nuevos cortes en la piel, ya no le decía nada.

Jorge estuvo presente en el parto y lloró cuando vio que su hija, Camila, había nacido. Feliz, dejó de ir al kiosco durante varios días para acompañar y ayudar a su mujer. Ana vivía maravillada por su bebé y por la actitud paternal de Jorge: bañaba a la hija, la cambiaba, la miraba dormir durante horas.

Pocos meses después, la pareja ya había recuperado su vida sexual. Ana creyó que volverían a hacer las cosas como cuando estaban de novios y la cama no incluía golpes ni cuerdas para atar. Se equivocaba.

En un primer momento a ella le costó admitir que el hombre que la lastimaba en la cama era el mismo que la ayudaba a calentar mamaderas y a cambiar pañales. Pero pronto aprendió, ella también, a disociar.

Cuando Camila cumplió tres años y empezó a ir al jardín de infantes, Ana decidió volver a su trabajo de maestra. Consiguió un puesto en una escuela privada y reorganizó su vida.

No habían pasado ni dos meses cuando, en una noche especialmente intensa, Jorge le dejó un ojo morado y dos cortes paralelos en el cuello. Un mes más tarde, tenía un golpe en la mandíbula con un moretón oscuro e hinchado. Después, un corte superficial pero visible desde la pera hasta la clavícula. Ana estaba furiosa. Antes, Jorge se preocupaba por no dejar huellas de lo que hacían a la noche, pero con el tiempo ese cuidado fue desapareciendo, como si Jorge estuviera orgulloso y quisiera dejar evidencias visibles de sus costumbres sexuales.

Camila empezó a preguntar, y los alumnos de la escuela también. Con ellos era fácil mentir y dejarlos conformes con cualquier explicación banal. Pero un día le tocó el timbre Elvira, su madre. Entró a la casa, preparó café y le preguntó directamente si su marido le estaba pegando. Ana negó todo y le contó historias enrevesadas sobre caídas, tropezones y rasguños con ramas. Pero Elvira no le creyó. "Si tu marido te pega, te pido que vengas con Camila a vivir a casa". Ana juró que no era nada. Cuando al fin logró sacarse de encima a su madre, fue a su cuarto y se tiró en la cama. Se sentía culpable y sucia: admitir esos golpes era admitir que ella también participaba de todo. Ella se dejaba atar, se dejaba golpear, permitía que su marido la cortara con navajas y la quemara con encendedores. Era cierto que ella no había sido la que había empezado, y era cierto también que siempre ofrecía alguna resistencia antes de ser atada y lastimada: pero la resistencia, en el fondo, formaba parte de un juego compartido que a ella le gustaba jugar.

Una noche, mientras Ana estaba atada, Jorge le dijo que corrían el riesgo de empantanarse y aburrirse: había que abrir más el juego incorporando a una tercera persona. Ana protestó y pidió ser desatada, lo que dio lugar a más golpes y más violencia. Él estuvo especialmente agresivo: "¡Decime que te gusta! ¡Puta! ¡Decime que estás caliente! ¡Decime que querés a otra mina con nosotros!" Mientras gritaba iba golpeando a Ana de manera rítmica y sostenida. Al fin le hizo gritar también, palabra por palabra, lo que él quería. Estaba allanado el camino para que apareciera la Turca.

Fue la época más turbia en el matrimonio de Ana. Dejaban a Camila en la casa de los abuelos y aparecía la ex amante de Jorge, que siempre llegaba vestida de cabaretera y traía su maletín con objetos propios de la más bizarra estética sadomasoquista.

Las visitas de la Turca se repitieron varias veces. Ana nunca pudo adaptarse a la presencia de otra mujer y odiaba profundamente esos encuentros donde pasaba buena parte del tiempo viendo lo que la Turca y su marido se hacían mutuamente. Ella también intervenía, claro, pero los otros dos le dejaban en claro que su rol estaba vinculado al sometimiento y la obediencia.

Para Ana, su trabajo como maestra se convirtió pronto en un fastidio. Ya no tenía paciencia para lidiar con los alumnos. Renunció y estuvo un tiempo dedicada a su casa y a su hija. Pero cuando Camila cumplió catorce años, se animó a buscar alguna otra cosa. Consiguió un empleo como vendedora en una casa de artículos deportivos. No le importaba mucho el tipo de trabajo que tendría que hacer sino que esperaba, al menos, poder distraerse del ambiente asfixiante de su casa.

El matrimonio seguía su curso, lánguidamente. En la cama continuaban los golpes, y en la vida cotidiana, eran una pareja como cualquier otra. Jorge era un marido dedicado, que hacía las compras en el supermercado, paseaba al perro, cambiaba las lámparas quemadas, y era un padre cariñoso y divertido.

Para Ana, salir a trabajar fue un alivio. La gente que iba al negocio a comprar le permitía recrear charlas amables y civilizadas, sin necesidad de tomar el mínimo compromiso afectivo. Adoraba esas conversaciones formales con los clientes: les preguntaba por los hijos, el trabajo, la salud, y al fin los despedía hasta la próxima, alertándoles que en pocos días más llegaría un nuevo modelo de zapatillas o de remera. Esa ficción comunicacional la aliviaba. Sentía que de alguna manera se relacionaba con los demás, pero evitaba tener que rendir cuentas y dar explicaciones.

La única excepción a ese mundo de vínculos superficiales era Julián, su compañero de trabajo. A pesar de ser varios años más joven que Ana, tenía más experiencia en el negocio y la ayudaba en todo lo que podía. En los momentos en que no había clientes, los dos se quedaban acodados en el mostrador hablando de la vida y estudiándose mutuamente. Se enamoraron enseguida.

Mientras tanto, Camila crecía. Ya era más alta que la madre y tenía un cuerpo voluptuoso que no coincidía con su edad. Una noche, mientras comían en familia, Ana vio que su hija, como tantas otras veces, terminaba su plato y se sentaba en las rodillas del padre para contarle lo que había hecho en el colegio. Pero esa vez hubo algo que la inquietó. Camila tenía una pollera corta y su padre le acariciaba una pierna mientras la escuchaba. Se dio cuenta de que, de no haber sido por lo atípico de su sexualidad, jamás le hubiera llamado la atención lo que veía.

A partir de ese día no dejó de vigilar la conducta de Jorge en relación con la hija. Todo le parecía sospechoso.

Intentar que Camila no se acercara tanto a Jorge era inútil y contraproducente: ella adoraba a su padre y se burlaba ante cada advertencia de Ana, que le explicaba que ya no era una nena para comportarse de esa manera. "¡Estás celosa de papá, estás celosa de papá!", canturreaba Camila, a la vez que corría a colgarse de la espalda del padre.

Lo único que podía hacer Ana era mandar a la hija a visitar a sus abuelos. Cada vez con más frecuencia les pedía a sus padres que buscaran a la nieta y la convencieran de quedarse a dormir en la casa de ellos.

Julián, el compañero de trabajo de Ana, ya estaba preparando la boda con su novia cuando apareció Ana en su vida.

Al principio, Julián le explicaba el lugar donde se guardaban las cosas y la mecánica simple de los pedidos a los proveedores. Se hicieron amigos, aunque los dos advertían que había una atracción que sobrepasaba el afecto tibio de dos compañeros de trabajo.

Un día, Ana llegó con un golpe en la cara. Él le preguntó de mil maneras y ella dio una versión poco creíble de una caída en un shopping. Al segundo golpe él ya no dudó. Insistió hasta que Ana admitió que su marido la golpeaba. Sin embargo, no dio detalles. Esa misma tarde fueron a tomar un café a la salida del trabajo. Estuvieron hablando durante dos horas y después cada uno se fue a su casa. Pero la tensión sentimental aumentaba. Después de varias salidas a tomar café y a comer comida vegetariana, terminaron en un hotel. Ana volvió entonces al sexo tradicional y le pareció que todo lo otro, los látigos y los golpes, era una pesadilla y una trampa. Esa misma noche Julián le dijo que si ella se decidía, él cancelaba el matrimonio. Pero Ana no se animó: todavía no le había contado el capítulo negro de su sexualidad, que ella veía como algo imperdonable.

Unos meses antes de su cumpleaños de quince, Camila empezó a organizar la fiesta. Una noche, mientras estaba con su madre acomodando el ropero, vio el vestido que Ana había usado para su boda. Sin dudar un segundo, se sacó la ropa y se lo probó. Salvo por un pequeño defecto en los breteles, le quedaba perfecto. Entusiasmada, se lo pidió para usarlo en su fiesta de quince. Ana miró el vestido y recordó, al instante, la noche de bodas en el hotel y a su marido con el nefasto maletín de cuero, de donde sacó por primera vez la venda negra y todo lo demás. Le pareció que usar ese mismo vestido sería un mal augurio para su hija e intentó disuadirla de mil maneras. Le dijo que le compraría otro, que ese modelo era antiguo, que una diseñadora podría hacerle uno mejor. No hubo caso. Estaban discutiendo cuando entró Jorge. Camila corrió hacia él, con el vestido puesto, pisando los pliegues de la pollera y tropezando. "¡Papá! ¡Mirá lo que me voy a poner para mis quince! ¿Lo conocés?", preguntó Camila, riéndose. Jorge miró a su hija, miró el vestido y miró a Ana, que estudiaba la reacción de su marido. "Parecés una diosa", le dijo a Camila, abrazándola.

211

Ana siguió encontrándose con Julián. Cada vez que iban a un hotel, ella se acurrucaba contra él y comparaba.

El día en que Julián le dijo que había fijado la fecha de la boda, Ana decidió romper con todo. No vería más a su amante y le diría a su marido que nunca más le permitiría que la lastimara.

A esa altura de las cosas, la sexualidad entre Ana y Jorge era escasa pero había crecido en violencia. Hacía ya varios años que Ana, después de ser golpeada, golpeaba a su vez a Jorge. No había sido idea de ella sino un pedido expreso de él, que decía excitarse con los castigos físicos. "Me calientan las dos cosas", le decía. "Me calienta lastimarte y me calienta que me lastimes". Ana prefería mil veces ser golpeada que golpear, pero obedecía porque la autoridad de Jorge en materia sexual no estaba en discusión. La rutina estaba más o menos establecida: Jorge ataba a Ana, a veces la colgaba de unas cuerdas que se sujetaban a la puerta, le pegaba con un látigo de cuero o con el puño, le hacía algunos cortes superficiales con navajas afiladas o con vasos rotos y la quemaba con encendedores o velas. Mientras tanto la tocaba y la besaba, y él, a su vez, se masturbaba. Después le pedía a Ana que le hiciera lo que él le había hecho antes, aunque por lo general no soportaba estar atado.

Esa noche, después de enterarse del casamiento de su amante, volvió a su casa. Su hija se había quedado a dormir con los abuelos. Al llegar, Ana encontró a su marido en el living y no se animó a pedirle el divorcio en ese momento: estaba deprimida y agotada. Un rato después Jorge fue a buscarla a la cama y le preguntó por Camila.

Cuando supo que estarían solos, Jorge la miró, con intensidad, y le mostró unas cuerdas de atar. Era, en su código personal, una invitación a tener sexo. Ana se levantó de la cama de un salto y le dijo que no, que nunca más volvería a dejarse lastimar. Sin embargo, el problema estaba en que la negativa inicial de ella se había convertido en una parte del juego sexual. Ana intentó aclarar las cosas diciéndole algo por primera vez: que no quería estar con él nunca más en la vida. Lo dijo tan fuerte y con tanta convicción que Jorge empezó a creerlo.

Furioso y excitado, se tiró encima de ella pero Ana ya se estaba vistiendo y, a los gritos, le decía que se iba a dormir a la casa de su madre. Jorge se dio cuenta de que su mujer hablaba en serio y la amenazó de la peor manera. "Si vos no querés, a lo mejor voy a tener que pedirle ayuda a Camilita. Me parece que ella quiere ser mi novia, ¡si hasta se pone tu vestido!".

Ana se quedó quieta, tratando de evaluar lo que le decía el marido. Jorge, mientras tanto, se le acercó y empezó a sacarle la ropa, desvistiéndose a la vez. Ella lo dejó hacer.

El ritual sadomasoquista se completó con la violencia de siempre. Atada a una silla, Ana se retorcía y gemía, ante el entusiasmo de Jorge, que le decía que era la más puta entre las putas. Cuando él se acercó a la mesa de luz para elegir una navaja afilada, ella le dijo que se apurara. Él volvió, le mordió la boca y ella, mordiéndolo a su vez, le ofreció el cuello como para que cortara, en clarísima señal de sumisión. Él le hizo un corte leve en el costado del cuello y en el abdomen. Enseguida la soltó y le dijo que era momento de cambiar los roles. Ana siguió besándolo y buscó las esposas para colocárselas. Jorge se negó pero ella parecía más compenetrada que nunca en el juego. Empezó a besarlo y morderlo de pies a cabeza hasta que se las puso. Agarró entonces la navaja y se la pasó, muy lentamente, por los muslos, desde las rodillas hacia arriba, y luego por el abdomen. Entonces inspiró, guardó una bocanada de aire en los pulmones y le rebanó el cuello de un solo tajo.

Ana se entregó a la policía esa misma noche. Declaró que mató a su esposo por miedo a que atacara sexualmente a su hija adolescente. Cuando le preguntaron si había algún indicio concreto que le indicara que había peligro, ella se limitó a contestar que no se podía arriesgar. Y repreguntó: "¿Usted se hubiera arriesgado con su hija?".

Según el informe del psiquiatra forense, Ana "había generado una relación de dependencia con su marido y gozaba al sentirse sometida y maltratada. La situación de maltrato le resultaba cómoda y familiar ya que en su propia infancia había vivido constantes escenas de violencia por parte de sus propios padres, que si bien no la sometían sexualmente, la castigaban en forma reiterada. Sin capacidad de reacción ante la agresión, la paciente desarrolló una actitud pasiva y vulnerable".

Ana L. fue condenada a ocho años de prisión por homicidio agravado por el vínculo.

La defensa de Ana no pudo demostrar que el crimen hubiera sido cometido en defensa de su hija.

Ana salió en libertad cuando estaba por cumplir seis años de prisión.

Los padres de Ana obtuvieron la custodia de Camila.

Camila nunca más quiso ver a su madre.

Elvira R.,
madre abnegada

Elvira R. enviudó el día que cumplía treinta años. Estaba terminando de decorar una gran torta de chocolate con cobertura rosa cuando tocaron el timbre para darle la noticia. Un policía incómodo le anunció que su marido había sido atropellado por un taxi hacía más de una hora. Elvira atinó a preguntar si estaba muy lastimado. El policía se sacó la gorra, miró para abajo y le dio el pésame.

Elvira nunca más festejó sus cumpleaños y por mucho tiempo se olvidó de los hombres. Se instaló en su viudez con resignación y se dedicó, como siempre, a dar clases de inglés en un colegio secundario.

Ocho años más tarde su vida era más o menos la misma cuando, en un colectivo, conoció a Ismael N., un carpintero de cuarenta y cinco años que construía muebles para una cadena de hoteles del interior. A Elvira le gustó de entrada: era robusto, alto, de bigotes, y sabía tratar a las mujeres. Vivía solo en una casa que estaba al lado de su carpintería.

Cinco meses después del primer encuentro en el colectivo ya estaban casados.

Elvira quedó embarazada cuando recién había cumplido treinta y nueve años. Su matrimonio la hacía medianamente feliz aunque, cuando se casó, no tenía mayores expectativas. Jamás se había hecho el cuento de estar viviendo una gran historia de amor: sabía que había tenido suerte al encontrar a Ismael, pero sabía también que esa relación no era parecida, ni por asomo, a las que podía leer en los libros románticos o ver en las telenovelas de la tarde.

El matrimonio se había instalado en la casa de Ismael, cerca de Ezeiza, en una calle arbolada y modesta. Ella se despertaba cada mañana escuchando el ruido de la sierra eléctrica, los pájaros y la radio.

Elvira vivió su embarazo con emoción y, poco antes de parir, renunció a su trabajo. El bebé fue varón y se llamó Ricardo, como el padre de Ismael. Ella se dedicó al hijo por completo. Tan encantada estaba con su nuevo rol de madre que no paraba de preguntarse cuántos chicos más podría tener. Ismael era práctico y terminante. "El dinero nos alcanza para uno solo y con eso es suficiente". Elvira no tuvo más remedio que abandonar su idea de un hermano para Ricardito.

Contrariando su instinto y su voluntad, Elvira tenía muy presente lo que le había dicho su madre: el nacimiento del hijo no tenía que interferir en la relación con el marido. "Si dejás de atender a tu esposo —la sermoneaba—, se te rompe el matrimonio". Entonces Elvira forzaba las cosas y hacía lo que podía: le seguía cocinando a Ismael lo que a él le gustaba, se acercaba al taller a cebarle mate y se le tiraba encima una o dos veces por semana para mantener viva la cuestión sexual. En realidad, lo que ella quería era cocinar exclusivamente para el hijo, verlo jugar todo el día y, a la noche, acostarse en la cama a dormir para recuperarse del cansancio doméstico.

Ismael no registraba el sacrificio de Elvira. Por el contrario, todo lo que ella hacía le parecía normal y poco. La comida era desabrida, cebar el mate era casi una obligación moral de su esposa y el sexo (que ella practicaba y fomentaba para mantener la pasión) era apenas un favor que él le hacía para tenerla contenta. Así las cosas, todo estaba distorsionado en esa pareja: los esfuerzos de Elvira por contentar al marido no hacían sino fastidiarlo, cada uno sentía que se sacrificaba por el otro y los dos empezaban a estar hartos y asfixiados. Elvira había perdido su encanto a los ojos de Ismael, e Ismael había dejado de ser para Elvira un hombre cálido y comprensivo y se había convertido en un lastre.

En ese clima familiar, Ricardito, como le decía la madre, crecía y se transformaba en un nene consentido, solitario y algo miedoso. Elvira vivía agobiada ante la idea de que al chico le pasara algo, y tendía una red protectora que era útil solamente para enfurecer a Ismael: no lo dejaba treparse a los árboles ni subir a los techos ni andar en bicicleta por la calle. Cuando fue más grande le prohibió inscribirse en un club de rugby ("los chicos se matan en el rugby"), lo convenció para que no jugara con sus amigos con una tabla de skate ("vas a perder los dientes") y para que no fuera con ellos de campamento ("es un peligro espantoso").

Ricardito aceptaba las reglas de su madre y se dedicaba entonces a leer y a tocar la guitarra.

Ismael, mientras tanto, había vuelto poco a poco a sus hábitos de soltero, que incluían encuentros con sus amigos, salidas a la cancha y prostitutas.

Si Elvira estaba molesta por la actitud de su marido, se lo guardaba. En el fondo lo único que le importaba era criar a su hijo, conservar al esposo y estar tranquila en su casa.

Ismael no estaba de acuerdo con la crianza del hijo pero tenía la teoría de que los primeros años de los chicos eran responsabilidad de las madres. Igual intentó convencerla de que lo mejor sería que Ricardo fuera aprendiendo a los golpes para que, más tarde, supiera manejarse por la vida, pero Elvira era inflexible. "Ya va a tener tiempo de sufrir y de aprender cuando sea grande", repetía ella como un latiguillo.

Sin embargo, cuando Ricardo estaba por cumplir quince años, Ismael decidió que ya era hora de tomar el toro por las astas. Lo llevó por primera vez "al bar de los muchachos" y ahí, solos los dos, le propuso una conversación de hombre a hombre. Le preguntó, de manera brutal, si le gustaban las mujeres. Ricardo, con vergüenza, admitió que sí, pero que estaba enamorado de una compañera que ya tenía novio. Ismael, aliviado por la noticia de que su hijo no era homosexual como él sospechaba, desplegó entonces un compendio absurdo de consejos sobre la vida con las mujeres. Su hijo, estoico, escuchó todos los lugares comunes sobre el tema sin decir una palabra. El padre entonces hizo otra pregunta crucial: "¿Ya la pusiste?". Ricardito estaba atormentado. Negó con la cabeza. El padre, dando un golpe contra la mesa con la palma de la mano, pidió dos vasos de tinto para festejar: esa misma semana lo rescataría de la ignorancia sexual y lo llevaría a aprender.

Ricardo estuvo mortificado todos los días que siguieron al encuentro con el padre. Elvira, que había desarrollado un afinadísimo vínculo con el hijo, advirtió que algo pasaba desde que los dos habían ido a su charla de hombres.

Lo primero que hizo fue preguntarle a Ismael. El marido la miró con fastidio y le dijo que Ricardo ya era casi un hombre, y que la etapa en la que ella imponía su criterio había terminado. Le explicó, de pésimo humor, que el hijo ya había crecido y que ella ya no servía para guiarlo en la vida. "Vos sos mujer y no podés saber de algunas cosas. Ahora de Ricardo me hago cargo yo".

Esa tarde Elvira habló con su hijo, que estaba en su cuarto tocando la guitarra. Con tono despreocupado le preguntó si no le iba a contar qué había hablado con su padre. El hijo, sobrepasado, dejó la guitarra, salió de su habitación y fue a encerrarse al baño.

Un viernes, después de terminar con su trabajo, Ismael salió de la carpintería y fue directo a ver a su hijo. Le dijo que esa noche, después de comer, saldrían juntos. Ricardo ya había pensado decirle al padre que se sentía mal y que además tenía que quedarse estudiando, pero la expresión decidida de Ismael era inapelable. Como si estuviera por ir al cadalso, Ricardito se encerró en su cuarto a esperar la hora decisiva.

Elvira en ese momento entendió todo. Persiguió al marido, que estaba entrando al baño a ducharse, y le dijo que era inhumano obligar al hijo a tener relaciones con una puta, sin contar con el peligro de contagios varios. Ismael la miró con indiferencia. "¿Quién te dijo a vos que yo lo llevo a tener relaciones con nadie?" Después cerró la puerta y empezó a cantar bajo la ducha.

Elvira supo que no podría hacer nada para cambiar las cosas y fue a preparar la cena, llorando en silencio. Ricardito, en tanto, estaba en su cama, acostado, mirando un mapa de Europa que tenía colgado en una pared, y en el que dibujaba trayectos imaginarios de sus futuras giras, cuando fuera músico de rock.

La cena fue tensa. Ismael estaba eufórico, mostrando un espíritu festivo que nada tenía que ver con el gesto lúgubre de Ricardito ni con la mirada ofendida de Elvira. Apenas terminaron de comer, Ismael se levantó, se despidió de su mujer y arreó a su hijo a la calle. "Esta noche vas a saber lo que es bueno", le dijo, palmeándole la espalda.

Ismael hizo subir a su hijo al Renault 12 que le había comprado un tiempo atrás a un amigo de la infancia. Llegaron a un edificio sórdido que estaba a pocas cuadras de la estación de trenes de Constitución. En el trayecto, el padre había prendido la radio y escuchaba un tango a todo volumen. El hijo miraba por la ventanilla pensando, acaso, en la chica de la que estaba enamorado sin suerte.

En la puerta del edificio, Ismael se arregló el cuello de la camisa, se abrió un segundo botón y miró a su hijo de arriba abajo. Tocó el timbre del portero eléctrico, se anunció y le abrieron. El ascensor tenía un cartel en la puerta indicando que no funcionaba. Subieron tres pisos por unas escaleras oscuras y con olor a humedad. Cuando llegaron al tercer piso, departamento 23, la puerta estaba abierta. Entraron. Ricardito vio a una mujer morocha con el pelo embadurnado con una pasta color caoba que le chorreaba por la frente, y que estaba calentando unas empanadas en el horno. "Me estoy tiñendo, pasen", les gritó desde la cocina. Ismael advirtió la mirada suplicante del hijo y lo tranquilizó. "Ella es una amiga de Susy, nomás".

En efecto, la amiga les dijo que Susy se estaba terminando de bañar porque había estado ocupada todo el día.

Con total familiaridad, Ismael se sirvió una empanada y se puso a mirar un televisor que estaba encendido sin sonido. Ricardo estaba asqueado por la mezcla de olor a tintura y empanadas. Los nervios, además, lo enloquecían. Su padre en ningún momento le había explicado qué iba a pasar en esa casa, qué tendría que hacer y con quién.

Unos minutos después se abrió una puerta y entró Susy, en bombacha y remera, con el pelo teñido de rubio atado con una gomita roja. Susy miró a Ricardo de reojo y fue directo a saludar a Ismael con un beso en la boca. Ricardo se puso en guardia. Adoraba a su madre y no podía tolerar imaginarla durmiendo en su casa mientras su padre estaba con otra mujer, teniéndolo a él como testigo. Sin embargo, no supo cómo reaccionar. Se quedó sin abrir la boca mientras Susy se sentaba en la falda del padre. Se fijó con asco en la celulitis de esas piernas blancuzcas y en los rollos que en la espalda le marcaba el corpiño y se traslucían a través de la remera ajustada. Susy empezó a frotarse contra su padre, que enseguida la empujó para levantarse de la silla. Entonces miró a su hijo y señalando a Susy le dijo que esa mujer le iba a enseñar lo que había que saber. Susy se acercó a Ricardo, lo agarró de un brazo y lo llevó a un cuarto que había al costado de la cocina. Ismael fue con ellos.

La habitación estaba pintada de naranja y tenía una cama deshecha junto a una ventana con cortinas floreadas. "No se fijen en la cama, no tuve tiempo de hacerla", se disculpó.

De pronto, Ricardo vio con asombro que su padre empezaba a sacarse la ropa. Desconcertado, fue hacia la puerta para dejar solos a su padre y a Susy. En el fondo estaba aliviado porque no tendría que hacer nada con esa mujer desagradable. Sin embargo, dudaba: bien podía suceder que después de estar con el padre, a él le tocara quedarse con Susy.

Cuando estaba a punto de salir, Ismael lo llamó. Ya estaba en la cama, desnudo, y le estaba sacando la remera a la mujer. Mientras le metía la mano por debajo de la bombacha y Susy gemía con la boca bien abierta, el padre miró a su hijo. "Quedate ahí. Nosotros te vamos a mostrar cómo se hace, así que fijate bien todo", le dijo, en tono didáctico.

La sesión duró una media hora, en la que el padre se esforzó en mostrar lo mejor de sus habilidades. Ricardito miraba asqueado. No sabía casi nada de sexo, y su única información consistía en relatos que escuchaba en el colegio y un único fragmento de una película porno que había visto en la casa de un compañero. Pero había una distancia abismal entre la imagen de dos desconocidos en una pantalla de TV y la presencia en vivo y en directo de su padre con una puta, a metro y medio de distancia. La cercanía sin filtros de ninguna clase le permitía verlo todo: la panza de su padre chocando contra la panza de la mujer, la torpeza de movimientos de los dos, las tetas caídas de Susy. Su padre, además, golpeaba a cada rato el culo de su amante con la palma de la mano, a lo que ella respondía con grititos ridículos. Pero si los gemidos de Susy le irritaban, los alaridos guturales de su padre al llegar al orgasmo le parecieron vergonzosos.

Cuando todo terminó, su padre se desplomó sobre un costado de la cama, resoplando, mientras Susy se levantaba y salía del cuarto, anunciando que iría al baño. Ricardo temía lo peor: que su padre tomara el lugar de observador y lo obligara a meterse en la cama con Susy. La sola idea lo espantó. Se imaginó a sí mismo desnudo, en contacto con el cuerpo blando de Susy (un cuerpo que ya había estado en contacto con su padre) y sintió que no iba a poder tolerar la repulsión.

Pero nada de eso sucedió. Susy volvió ya vestida con una camisa y un short. Su padre se levantó, se miró con satisfacción en un espejito con marco de plástico naranja que colgaba de una pared, y empezó a vestirse. Cuando terminó le alargó a Susy un par de billetes, le dio un beso en la boca y una lamida en el cuello, y se despidió.

Bajaron la escalera, salieron a la calle y entraron al auto, en silencio. Ricardo no se animaba a mirar al padre, que sonreía feliz. "¿Y? ¿Viste cómo era la cosa?", le preguntó, mirándolo de reojo. El hijo se hundió en el asiento y miró obstinadamente por la ventanilla, como si del otro lado del vidrio se estuviera decidiendo su destino. No se dijeron nada en todo el trayecto.

La madre los recibió en camisón, con la cara hinchada por haber llorado. Abrazó al hijo, que no pudo mirarla a los ojos: sentía que había participado de una traición imperdonable, en asociación canallesca con el padre. Ismael miró a Elvira y le preguntó si había algo para comer.

Al día siguiente, Elvira esperó a que su marido fuera a la carpintería y decidió hablar con el hijo, que estaba preparándose para ir al colegio. Estaba convencida de que Ismael lo había llevado con una puta, lo cual era obvio, pero ni siquiera imaginaba en qué consistía la lección que el padre había preparado. Creía que le había conseguido una cita y que él se había limitado a pagar y a esperar afuera mientras Ricardito debutaba. Quería, sin embargo, saber más: si el hijo se había cuidado con preservativos, si la experiencia había resultado traumática, si la mujer lo había tratado bien. Empezó a preguntar pero se encontró con un hijo desconocido en su actitud esquiva. Ricardo, por su parte, no quería hablar del tema porque se sentía culpable por no haber actuado a favor de su madre, obligando a su padre a mantenerse fiel. Pero no fue capaz de sostener su secreto por mucho tiempo: dos días después le contaba a Elvira con todo detalle lo que había pasado esa noche.

Elvira no podía creer lo que escuchaba. A esa altura ya se había calmado, convenciéndose de que Ismael había actuado como tantos hombres que querían que sus hijos se sacaran de encima la deuda del sexo sin demorarse demasiado. Pero esto era distinto. Nunca jamás había escuchado un relato semejante. Volvió a preguntarle a Ricardo si estaba seguro de lo que decía. El hijo le contestó que sí, aliviado al ver que su madre lo perdonaba y dirigía su furia hacia el padre.

Esa misma noche Elvira mandó al hijo a visitar a una tía y encaró al marido. La pelea fue brutal. Ismael le dijo a su esposa que era una mujer inútil, estúpida y metida. "Y mayor. ¡Estás vieja! ¿Cómo querés que me caliente con vos?". Indignada, Elvira le dijo que se quería separar. La respuesta fue un puñetazo en el estómago que la dejó sin aliento.

Nunca la había golpeado así. Es verdad que hacía tiempo que amenazaba con pegarle. Las amenazas, además, servían para desactivar peleas: antes de que la discusión subiera de tono venía la amenaza, que surtía en Elvira un efecto inmediato. Pero esta vez el golpe había sido de verdad.

Cuando recuperó el aire y pudo hablar, Elvira se sentó en su cama y no mencionó el golpe ni la pelea. Solamente le dijo que no volviera a llevar a Ricardo al departamento de su amante.

Elvira e Ismael siguieron durmiendo juntos pero apenas se hablaban. Ella evitaba tenerlo cerca y pasaba horas mirando por la ventana, sin siquiera moverse. Ricardo se daba cuenta de que su madre sufría, y pasaba con ella buena parte de su tiempo libre. Había dejado sus clases de guitarra para acompañarla, cebarle mate y mirar con ella películas viejas por televisión.

Elvira empezó a tenerle miedo a su marido. Le pareció que un hombre que llevaba a su hijo para que lo viera teniendo sexo con su amante era capaz de cualquier cosa. Temía además que Ismael, viendo que Ricardito estaba cada vez más apegado a ella, tomara alguna represalia: que la golpeara o que directamente volviera a llevar al hijo al mismo lugar.

Elvira no solamente no se recuperaba de su depresión sino que empeoraba día a día. Una tarde fue a visitarla una de sus tías y la convenció para salir a caminar e ir al cine. Fueron.

Cuando Ismael vio que Elvira salía, respiró aliviado. Hacía tiempo que su mujer estaba instalada en su casa como un mueble desvencijado, sin hablarle y sin mirarlo. Mientras él se preparaba un sándwich en la cocina, llegó Ricardito del colegio. Ismael pensó, entonces, que era un momento ideal para volver a llevarlo a lo de Susy a quien, por otro lado, iría a visitar esa noche.

La llamó para asegurarse de que podía adelantar la visita y llevar de nuevo al hijo. Después le dijo a Ricardo que se preparara porque iban a salir. Ricardo amagó una disculpa ("tendría que quedarme a estudiar") pero el padre fue inflexible. "Vestite y vamos", dijo, mientras iba él mismo a darse una ducha. Media hora después estaban en camino.

El ritual en lo de Susy fue parecido al de la vez anterior. Apareció la amiga que abrió la puerta y luego entró Susy, esta vez envuelta en un toallón. Ismael tomó un vaso de tinto, ayudó a arreglar una canilla que perdía y fueron al dormitorio. Ricardo, sin embargo, pidió estar afuera del cuarto. Su padre, que estaba terminando de desnudarse, le dijo que se quedara, que para eso lo había llevado. "Si te vas, ¿cómo vas a aprender? Fijate bien porque después se la vas a tener que poner a la amiguita esa que te gusta tanto".

Ricardo estaba impresionado. La imagen de su padre, trepando por encima de Susy y metiendo mano entre sus carnes movedizas, se le mezcló con la fantasía sutil que había tenido muchas veces de un acercamiento sexual con su compañera de escuela. Se sobresaltó. Pensó que, después de ver lo que estaba viendo, nunca podría tener sexo con la chica que le gustaba ni con ninguna otra. Desolado, siguió mirando a su padre y a Susy, que repetían más o menos lo que habían hecho la otra noche, aunque con algunos adicionales.

Cuando Elvira volvió a su casa vio que todas las luces estaban apagadas y que no había nadie. Asustada, entró al dormitorio del hijo y vio el uniforme del colegio doblado en una silla. Entró al cuarto que compartía con Ismael y vio que el placard estaba abierto. Fue a ver el baño: era evidente que el marido se había dado una ducha pero nada indicaba que hubiera tenido que salir de urgencia. Siguió mirando y vio que su frasco de colonia para después de afeitar estaba abierto. Entonces entendió.

Fue a la puerta a esperar a los dos y se quedó ahí, inmóvil, temblando de rabia. Se daba cuenta de que todo era una tremenda injusticia. A Ismael ni siquiera le había recriminado que tuviera una puta fija: lo único que le había pedido era que no volviera a llevar al hijo a que viera lo que hacía en la cama con la otra.

A medida que pasaban las horas, Elvira estaba más y más alterada. Al fin vio que llegaban y que Ismael entraba el auto en el garage de la carpintería. Ella abrió la puerta y se quedó ahí, agazapada. Cuando entraron, dejó pasar al hijo y se abalanzó sobre el marido. Estaba enardecida. "Lo llevaste otra vez a que viera tus porquerías", le gritaba, mientras le arañaba la cara y le tiraba del pelo. El padre se la sacó de encima y le indicó a Ricardito que se fuera a su cuarto. El hijo estaba conmocionado y volvía a sentir culpa por haber defraudado a la madre. No había sido capaz de negarse a acompañar al padre ni había sido capaz de impedirle que se acostara con la amante. Corrió a su cuarto y se encerró con llave a llorar de rabia y de vergüenza.

Elvira volvió a la carga y le gritó a Ismael lo único que él no quería escuchar: "¡Degenerado! ¡Lo llevás porque te calienta que tu propio hijo te vea en la cama!". Ismael la miró y le tiró una trompada a la mandíbula que la alcanzó a medias. Ella no sintió el golpe. Estaba enceguecida. Corrió a la cocina, sacó una pistola que su marido guardaba en un armario y empezó a disparar. Apretaba el gatillo casi sin mirar, más pendiente de descargar su furia que de acertar los tiros. Estuvo disparando, casi en trance, hasta vaciar el cargador. Cuando dejó el arma, su marido estaba herido pero vivo, con los ojos abiertos, la espalda apoyada contra una pared y las piernas en el piso. Lo habían alcanzado tres disparos, dos en el pecho y uno en una pierna. Los peritos encontraron después once balas más por toda la cocina.

Ricardo salió de su cuarto y se enfrentó con el horror. Llamó a unos vecinos, que a su vez se encargaron de pedir una ambulancia, avisar a la policía y tratar de detener las múltiples hemorragias de Ismael. Mientras tanto, Ricardo intentaba reanimar a Elvira, que no decía una palabra y se frotaba una mano contra la otra. Le decía a la madre que había hecho bien, que su padre tenía la culpa de todo, que la quería y que por favor le dijera algo.

Elvira quedó detenida esa misma noche. No pudo declarar porque estaba muda. Los psiquiatras constataron que sería inútil interrogarla.

Ismael resistió tres días en terapia intensiva hasta que murió. Cuando un policía se acercó a Elvira y le comunicó la noticia, ella levantó la vista, respiró profundo y empezó a hablar.

Elvira R. estuvo un año detenida esperando la sentencia. Su hijo fue a vivir con una tía que había conseguido la tenencia provisoria.

Para la defensa, la mujer no tenía por qué estar presa. Argumentaron que había efectuado catorce disparos, de los cuales solamente tres impactaron en su marido. Esto fue, para los forenses, la prueba fundamental que determinaba que Elvira había actuado por emoción violenta. El juez estuvo de acuerdo y Elvira quedó en libertad. Poco después recuperó la custodia de su hijo.

Mónica D.,
acorralada

Cada tarde, cuando daban las seis, Mónica D. tenía que preparar el té para su madre inválida. Calentaba el agua y un poco de leche, ponía a tostar pan francés y colocaba una porción de mermelada de frutillas en un platito de café. Un rato antes tenía que sacar la manteca de la heladera porque su madre, Beatriz, la prefería a temperatura ambiente.

Una vez que todo estaba listo, acomodaba la merienda en una bandeja y la llevaba al cuarto de la madre, que recién empezaba a despertarse de su siesta.

Apenas entraba, corría las cortinas para que se filtrara la luz y veía cómo ella, con gesto adusto, miraba el reloj para verificar que estuvieran cumpliendo el ritual del té a la hora convenida. Después venía el control de la temperatura de la leche y el tostado del pan. El conflicto solía surgir por la textura de la manteca. Era común que Mónica se olvidara de sacarla del frío con anticipación, lo cual era advertido de inmediato por Beatriz, que en el acto suspendía la ceremonia. Había que esperar que la manteca se ablandase, con lo cual se enfriaba todo lo demás. Mónica, abnegadamente, volvía a preparar el té, la leche y las tostadas.

Los pocos amigos de Mónica le reprochaban su sumisión asombrosa, pero ella ya se había acostumbrado a soportar a su madre. "Mamá es así. Está enferma y se siente mal, pero ya va a pasar".

Beatriz había quedado paralítica por un error grosero en una operación de hernia de disco. En ese momento, Mónica había cumplido dieciséis años y todavía se estaba reponiendo de la muerte de su padre. "Menos mal que tu papá ya murió y no tiene que verme así, porque el pobre no lo soportaría", solía repetirle Beatriz, autocompasiva.

El padre, un cardiólogo exitoso, había tenido tiempo para dejar a su esposa y a su hija una cantidad de recursos económicos suficientes como para vivir sin sobresaltos. La madre cobraba dos pensiones y recibía dinero por el alquiler de tres consultorios y dos departamentos en la costa. Así pudieron contratar mucamas y enfermeras, aunque por lo general ninguna permanecía en la casa por más de dos o tres meses. Con sus exigencias absurdas y su carácter imposible, Beatriz las espantaba como a moscas. Entonces, era Mónica quien tenía que hacerse cargo del cuidado de la madre.

Diez años después de la operación que la dejó inválida, Beatriz ya se había acostumbrado a vivir una vida miserable. Como estaba aterrada ante la posibilidad de quedarse sin dinero, había decidido prescindir de la ayuda de una mucama y obligaba a su hija a cuidarla y a hacer las cosas de la casa. Por eso mismo, Mónica llevaba siete años estudiando abogacía y estaba lejos de terminar. Mientras todos sus compañeros ya se habían recibido, ella, muy lentamente, iba cursando la carrera en los ratos libres. Sabía que tenía que estar en su casa por la mañana para bañar a la madre, darle los remedios, prepararle el desayuno y el almuerzo, y dejárselos a su alcance. Ya había calculado que a eso de las diez podía dejar la casa, pero a las seis de la tarde tenía que volver para la dichosa merienda. Después podía salir una vez más, aunque debía llamar a Beatriz cada hora para ver si estaba bien. De todas maneras, era imposible siquiera pensar en pasar una noche fuera de la casa o llegar después de medianoche.

Aunque no podía caminar, Beatriz era capaz de arreglárselas sola. Sin embargo, no lo hacía. Por supuesto, podía ir en silla de ruedas a hacer las compras, o a visitar amigas, o al médico, o a estudiar, o a mirar vidrieras, pero había decidido depender enteramente de su hija. Tanto dependía que ni siquiera se desplazaba por la casa. Con el tiempo, Mónica empezó a sospechar que su madre, cuando estaba sola, se movilizaba sin mayores inconvenientes. De hecho, había encontrado evidencias de sus desplazamientos, que Beatriz negaba, indignada y ofendida.

Los médicos que la atendían también trataban de convencerla para que hiciese alguna actividad por sus propios medios. Todo era inútil.

La situación se complicaba porque, además, Beatriz había empezado a desarrollar un cuadro depresivo. Su psiquiatra intentó convencerla para que estudiara algo o se anotara en algún curso. Pero ella no quería hacer otra cosa que estar en la cama. "Ya sé que hay otros que están como yo y hacen su vida. Pero mi caso es distinto. Yo no tuve un accidente ni nací así ni tuve polio ni nada. Yo estoy paralítica porque un médico me operó mal y me arruinó la vida. Y además mi esposo murió y me dejó sola. De esto yo no puedo salir, ni quiero", solía decirle al psiquiatra en cada sesión. Al fin, Mónica, que era la encargada de llevarla y traerla, decidió suspender el tratamiento psiquiátrico por considerarlo una experiencia inútil.

En la casa de al lado vivía Beba, una viuda sesentona y autoritaria que había sido amiga de la familia de Mónica pero que, después de la muerte del padre y del accidente de la madre, había dejado de visitarlas con la asiduidad de otros tiempos.

Sin más cosas para hacer, Beba se dedicaba a observar a sus vecinas. Había llegado a la conclusión de que Mónica era una hija desaprensiva que no ponía empeño suficiente en alegrar a su madre ni en hacerle la vida más fácil ni en incentivarla para ponerse en acción.

Una mañana, cuando Mónica estaba saliendo para la facultad, se encontró con Beba en la puerta, barriendo la vereda en bata y pantuflas. "Tu madre sufre y vos no te das cuenta. Deberías hacer más por ella, que es una santa", le recriminó, mirándola como a una enemiga. Mónica no podía creer lo que escuchaba. Sentía que estaba sacrificando su vida por su madre, y que nadie le reconocía el esfuerzo. No le contestó nada y amagó con irse, pero Beba la retuvo, agarrándole el brazo. "Pensá bien y no seas egoísta. Beatriz te necesita".

Mónica, que no estaba acostumbrada a defenderse de los ataques, no contestó nada. Apenas pudo hacer una mueca de disgusto y se fue.

Hacía muy pocos meses Mónica había empezado a salir con Luciano, un compañero de facultad dos años menor. Al principio no le había gustado y además le parecía ridículo. Usaba zapatos con plataforma, camisas ajustadas y brillantes, sacos con hombreras exageradas y el pelo teñido de rubio platinado con las raíces negras. Se pasaba el día entero escuchando música electrónica en un walkman y seguía el ritmo —aun en medio de las clases— sacudiendo la cabeza y los hombros con movimientos espasmódicos. De hecho, esa costumbre le valió el apodo de Robot, que con el tiempo terminó resumido en Robi.

Robi era simpático y sociable, pero advertía que los demás se reían de él, que evitaban verlo fuera de la facultad y que no lo tomaban en serio. Mónica, que por su timidez no tenía la más mínima popularidad entre sus compañeros, se había encariñado con él. Los unían el rechazo de los demás y una comprensión profunda de lo que significaba no ser aceptado.

Poco después de conocerse, estaban todo el día juntos. Eran una pareja llamativa: no formaban parte de ningún grupo, se sentaban apartados del resto, hablaban en susurros e iban juntos a todos lados. Mónica era la más débil y vulnerable. Estaba siempre alerta a cualquier señal que en los demás delatara burla o antipatía. El miedo al ridículo le impedía hacer buena parte de las cosas que para el resto de la gente eran sencillas. Mónica era incapaz de hablar en público, tartamudeaba cuando tenía que rendir un examen, jamás se sentía cómoda con su manera de vestirse, no sabía bailar ni cantar ni practicar ningún deporte, y hasta había dejado sus clases de alemán porque le daba vergüenza hablar con el profesor. Su madre sabía perfectamente cuáles eran los puntos débiles de su hija y a la menor oportunidad le recordaba sus limitaciones. "Pobrecita... siempre fuiste así, tan corta, tan limitada... En algo debo haber fallado cuando te eduqué, para que salgas así".

Mónica decidió llevar a Robi a su casa por pura necesidad: ni ella ni él tenían dinero para ir a ningún lado, y además Mónica debía cuidar a su madre. A Beatriz el novio de la hija le resultó lamentable. Ni bien lo vio le dijo a Mónica que jamás lo iba a aceptar porque era demasiado raro. Ya desde la primera visita lo miró con antipatía profunda, y le dejó la mano colgada cuanto él se la tendió para saludarla.

Con los meses, sin embargo, Beatriz no tuvo más remedio que adaptarse a la realidad. Robi iba a la casa casi todos los días y hasta la acompañaba, junto a Mónica, para el té de las seis.

Mientras tanto Beba veía con horror la situación de sus vecinas. Evitaba cruzarse con Beatriz y —en cambio— estaba alerta para asomarse cuando Mónica entraba o salía de la casa, sola o con Robi. De alguna manera se las ingeniaba para abrir la puerta en el momento mismo en que Mónica aparecía, y se le plantaba delante, mirándola con desprecio. Si estaba Robi, extendía su desprecio a los dos.

Poco después empezó a acompañar las miradas reprobadoras con algún insulto dicho entre dientes hasta que un día se animó: esperó que Mónica y Robi entraran a la casa y les tocó el timbre. Cuando ella abrió la puerta, Beba le pidió un minuto para hablar fuera de la casa. Mónica se asomó y ahí mismo la vecina le dijo que las visitas de Robi tenían que suspenderse. Ella vivía sola y tenía miedo de que ese desconocido terminara desvalijando las dos casas vecinas.

Si bien la relación con Robi la ayudaba a soportar el agobio de su vida, Mónica se sentía día a día más presionada. Su madre mantenía un nivel de exigencias difícil de tolerar: pretendía que la hija mantuviera la casa limpia, que cocinara, que le tiñera el pelo, que le diera los remedios y hasta que le pintara las uñas. La hija, que con veintiséis años se sentía de sesenta, le recordaba que tenían dinero suficiente como para contratar al menos una mucama. Beatriz la miraba con espanto. "Ya no existen las entradas de plata que había cuando tu papá trabajaba y operaba. Ahora tenemos que vivir de las pensiones y los alquileres, y ese dinero se puede terminar", argumentaba. Cuando Mónica le preguntaba dónde iba a parar el dinero que evidentemente no se usaba, Beatriz replicaba, muy seria: "Lo guardo. Ahorro. Para que después vos no quieras meterme en algún asilo de cuarta".

Poco a poco el hartazgo de Mónica fue tomando cuerpo. Su noviazgo con Robi, además, había sido el detonante para sacarla de su estado de resignación profunda. Se dio cuenta entonces de que su madre ya no le daba pena sino rabia. Pensó en la cantidad interminable de horas dedicadas a darle pastillas, prepararle tés y correrle las cortinas, y se dijo que esa etapa de su vida tenía que llegar a su fin.

Hizo unas simples cuentas y llegó a la conclusión de que el dinero que su madre guardaba en la caja fuerte, además del que seguiría cobrando, debía ser más que suficiente para no temer una posible bancarrota. Su plan era impecable: contratarían, como al principio, una mucama y una enfermera, y ella se iría a vivir sola. Para esto era necesario vender una de las propiedades de la costa y con ese dinero comprarse un departamento. Repasó los números con Robi y le planteó a Beatriz la cuestión. Su madre la escuchó atónita: creía que a esa altura de los acontecimientos su hija ya estaba domesticada. Compuso un triste personaje de víctima y la miró a los ojos, confundida. "Me querés internar, ya me doy cuenta. Me estás diciendo que siempre fui una carga para vos, por vieja y porque estoy inválida". Mónica no se dejó amedrentar y le explicó que había entendido mal: no la iba a abandonar sino que iría a vivir a otra casa con su novio y le haría todas las visitas que fueran necesarias. Además, una enfermera profesional sería más útil que ella misma.

Dos días después, la madre sufrió un pico de presión y tuvo que ser internada por precaución. Mónica enterró su plan por un tiempo y todo siguió como hasta entonces.

Cuando Beatriz se recuperó y ya había pasado un tiempo prudencial desde el ataque, Mónica volvió a la carga. Durante esas semanas había empezado a rememorar su rutina diaria. Se veía a sí misma yendo y viniendo de la cocina al cuarto de su madre, atendiendo sus caprichos más absurdos y escuchando sus críticas más ofensivas. Se preguntó cómo, en todos esos años, había adoptado una actitud tan pasiva.

Tan enojada estaba con su propio comportamiento que no podía dejar de pensar en el pasado. Su novio intentaba distraerla pero Mónica estaba empecinada en revisarlo todo. Cada situación vivida entre ella y su madre le parecía peor y más patética de lo que en verdad había sido: la indignación le distorsionaba los recuerdos. Era obvio que no podía seguir viviendo en esa casa mucho tiempo más.

Apenas advirtió que su madre estaba mejor, retomó sus planes de independencia. Le dijo que ya había tomado la decisión y que había que poner en venta alguna de las propiedades de la costa cuanto antes: eso evitaría que la relación entre las dos continuara su evidente deterioro.

Beatriz le pidió unos días para hacerse a la idea de los cambios y se dedicó a ganar tiempo.

Mientras tanto, el frente de tormenta con Beba iba de mal en peor. Despojada del más elemental sentido común, la vecina había emprendido una cruzada contra la permanencia de Robi en la casa, contra la actitud de Mónica con su madre y contra los sonidos fuertes después de las diez de la noche. Por algún motivo, la precaria estabilidad emocional de Beba había colapsado. De un momento para el otro se dio cuenta de que no estaba dispuesta a tolerar a Mónica ni su novio, y se los hacía saber. Permanentemente les tocaba el timbre para quejarse por el volumen de la radio, por el olor a comida, por el ruido de una ventana que el viento había cerrado de golpe. Si ellos perforaban una pared para colocar un cuadro, ahí estaba Beba para dejar sentada su protesta. Si se les caía una olla, en el acto llegaba Beba con su enojo. La modalidad era siempre la misma: una seguidilla de golpecitos rápidos y la voz de alerta, en tono indignado: "Soy yo, soy Beba. ¿Me atienden?".

Los meses seguían pasando y nada se resolvía. A pesar de su frustración y de su enojo, Mónica seguía cuidando a su madre, que después de su ataque de presión había tenido que ser internada dos veces más. La primera fue por un cuadro de deshidratación: deprimida, había dejado prácticamente de comer y de tomar líquidos y se negaba a que su hija la alimentara. La segunda internación fue más seria: Beatriz se había roto la cadera en la bañera en un momento en el que Mónica la había dejado sola para atender el teléfono.

"Se cayó a propósito, estoy segura de que se tiró al suelo para joderme", le dijo al novio con furia al día

siguiente del accidente. Como sea, las internaciones dejaron todo el trámite de la mudanza en punto muerto.

Beba, que en un principio evitaba encontrarse con
Beatriz, cambió su estrategia. Una tarde, cuando Mónica y
su madre volvían de la calle, Beba las interceptó en la
puerta. Saludó a las dos con amabilidad y le dijo a Beatriz
que le gustaría entrar a su casa para hacerle un rato de
compañía, "como en otros tiempos". Mirando a Mónica de
reojo, con una sonrisa irónica, tomó la mano de la mujer
inválida y se la apretó con afecto. "Beatriz, Beatriz queri-
da. Qué sola te debés sentir. Dejame que me quede un
rato con vos, que seguro no tenés con quien hablar".

Beatriz, que mil veces había criticado la lejanía afectiva de la vecina y su permanente intromisión con las cuestiones de su hogar, aceptó encantada. La visita duró
menos de una hora, y cuando madre e hija volvieron a
estar solas frente a su merienda de las seis de la tarde, Beatriz hizo sentar a su hija para hablar de algo importante.
"Beba tendrá sus cosas pero es inteligente. Y lo que me
dijo es cierto: Robi es un peligro. Seguramente nos quiere
robar. No quiero que vuelva".

Mónica no le contestó. Se quedó viendo cómo su
madre devoraba las tostadas y llenaba la cama de migas
que luego ella tendría que limpiar. Recordó que el día
anterior la habían aplazado en un examen: no había
podido prepararlo por falta de tiempo. La convalecen-
cia de su madre le había demandado un esfuerzo adi-
cional que repercutió, como tantas otras veces, en sus
estudios.

Al fin, se decidió. Fue a buscar un saco y le dijo a la
madre que iría a una inmobiliaria para poner en marcha
la venta de un departamento en la costa. Beatriz no se

amedrentó y por primera vez dijo claramente lo que ya tenía decidido desde un principio. "No vayas. Yo no quiero vender nada. No voy a autorizar ninguna venta".

Mónica trató de mantener la calma. Le dijo que ella tenía derecho a pedir ese dinero porque se trataba de la herencia de su padre. La madre fue inflexible. "Andá a juicio. No me importa. Tu padre antes de morir me dijo que quería que esos departamentos no se vendieran. Y yo voy a respetar lo que él me pidió".

Esa noche Mónica no fue a dormir a su casa por primera vez en su vida. Se quedó en la casa de Robi, en un sofá que la madre del novio le habilitó en el living, "porque nosotros no somos modernos ni degenerados". A la mañana siguiente volvió a buscar algo de ropa. En cuanto puso la llave en la puerta, apareció Beba, indignada. Le contó que en la madrugada llegó una ambulancia a buscar a su madre porque había tenido otro pico de presión. "La pobre Beatriz se arrastró como pudo para poder dejar entrar al médico. Qué vergüenza".

Esa misma tarde la madre estaba de vuelta en la casa. Mónica se quedó sentada al lado de su cama, en silencio, viéndola dormir. Antes de las seis Beatriz abrió los ojos, miró la hora y habló: "Tengo el azúcar muy alto. Para el té ya no puedo comer la mermelada de siempre. Andá a comprarme una que sea de bajas calorías".

Mónica empezó a tener fantasías asesinas. Se imaginaba que ahogaba a la madre con una almohada y que la enterraba en el jardincito trasero. Como se sentía sola y no podía soportar sus propios pensamientos, le contaba todo a Robi, en detalle. Los dos partían de la base de que ella jamás se animaría a matar a la madre y tomaban esas charlas macabras como un sano ejercicio para liberar tensiones.

La convivencia entre Mónica y Beatriz había empeorado aceleradamente. Mónica se había animado a expresar su disgusto con pequeñas muestras de independencia. Dejó de hacerle el té de las seis de la tarde, preparaba comidas que a su madre nunca le habían gustado, no la ayudaba a hacer sus ejercicios de elongación y mostraba una indiferencia plena frente a sus charlas cotidianas.

Sin embargo, Mónica no podía ir mucho más allá. A pesar de su enojo y su rechazo, tenía terror de que su madre se muriera. Beatriz, que conocía perfectamente a su hija, se aferraba a este dato para dominar la situación. Fue Robi quien le marcó a Mónica la contradicción durante una charla en la que ella volvía sobre la idea de eliminar a la madre. "Si tu vieja se muere, vos te volvés loca, así que tenés que pensar otra cosa".

Mónica iba enfrentando a la madre de a poco, sin tensar demasiado la cuerda. Pero en cuanto la madre se sentía mal o decía estar enferma, Mónica volvía a su régimen de sometimiento y obediencia. Las dos medían fuerzas y estaban agotadas una de la otra.

Una mañana Mónica recibió el llamado del médico de cabecera de su madre para anunciarle que los exámenes clínicos no habían dado bien: cambiarían la medicación y harían algunos estudios complementarios.

Conmocionada por la noticia, Mónica fue al cuarto de la madre para contarle, en versión piadosa, su conversación con el médico. Beatriz adoptó una actitud resignada y lastimera. Pidió que la acompañara a lo de su abogado para dejar los papeles en regla ante la proximidad de su muerte. Fueron. La madre pidió estar a solas con el abogado. "Ahora no va a hacer falta que vendas un departamento porque vas a recibir todo, cuando yo no esté".

Mientras tanto, la vecina había empezado a jugar un doble papel: visitaba a Beatriz día por medio pero seguía enfrentándose a Mónica y a Robi. Cada vez que hacían un ruido que a Beba le parecía excesivo, se plantaba con autoridad y los llamaba para dejar sentada su posición. Después de los inconfundibles golpecitos nerviosos se anunciaba, desde afuera, con la fórmula habitual. "Soy yo, Beba, ¿me atienden?"

Mónica, totalmente harta, le pidió a su madre que hablara con la vecina para frenar sus constantes intromisiones y quejas. Beatriz pareció escandalizada. "¿Cómo le voy a decir que no proteste, si ustedes la molestan? Ella tiene derecho, pobre; además, lo hace por mi bien".

Así, la vida de Mónica iba entrando en una vertiente más y más angustiante. Se sentía totalmente acorralada entre los requerimientos incesantes de su madre inválida y la inesperada actitud controladora de su vecina.

Robi, como único amigo y confidente de Mónica, trataba de desarticularle su creciente neurosis. "Por lo menos —le decía— dejá de preocuparte por Beba". Pero era justamente la presencia de Beba lo que más la estaba alterando. Cada vez que cerraba la puerta de calle se imaginaba a la otra, en la puerta de al lado, acechando. No se equivocaba: si no cerraba con extremo cuidado, se podía escuchar, nítido, el insulto del otro lado de la pared. "¡Hijos de puta! ¡No saben cerrar una puerta sin dar un golpe!"

Obsesionada, Mónica había desarrollado técnicas para abrir y cerrar la puerta de calle sin hacer el mínimo sonido y trataba de imponerle la nueva costumbre a su novio.

También ponía el televisor y la música a un volumen bají-
simo, lo que le traía problemas con Robi, que no estaba
dispuesto a acatar las decisiones paranoicas de Mónica.

Una mañana, a las siete, Mónica fue a despertar a su
madre para llevarla a hacer los estudios que le había pedido el médico. Beatriz se negó a ir. Estaba deprimida y asustada. Trágica, le habló desde la cama, prácticamente
cubierta con las sábanas. Le dijo que la dejara morir en
paz y que no estaba dispuesta a seguir arrastrándose por la
vida en su silla de ruedas, siendo una carga para todos.
Mónica se acercó, la destapó e intentó sentarla para sacarle el camisón y vestirla. Beatriz ofreció resistencia y las dos
terminaron forcejeando hasta que Mónica, muy alterada,
la soltó. "Me voy a la facultad, hacé lo que quieras, y si querés morirte es problema tuyo". "No le hables así a tu
madre", fue la respuesta ofendida de Beatriz. Mónica ya
no podía contenerse. A los gritos empezó a pasarle una
por una todas las cuentas pendientes de su vida. Cuando
terminó, la madre la estudió con incredulidad. "Ahora me
vengo a enterar de que mi hija me odia. ¿Sabés qué? Andate y no vuelvas más. No te quiero ver más a vos ni al mari-
ca de tu novio".

Con lágrimas de indignación, Mónica corrió a su cuarto para buscar un abrigo y una cartera e irse. En eso estaba cuando escuchó los golpes de la vecina en la puerta de
entrada. "Soy Beba, ¿me atienden?" Furiosa, Mónica
apuró el trámite: se colgó el bolso al hombro, agarró una
campera al voleo y salió. Beba, en camisón, le dijo que
quería pasar para ver si su madre estaba bien. "Seguro le
hiciste algo, yo escuché. Sos mala persona, vos".

Beba y Mónica se miraron. Si no se hubiera sentido tan
acorralada, Mónica no habría reaccionado como reaccio-

nó. Beba, por su parte, no tenía manera de saber que cometía un error trágico: se estaba cruzando en el camino de una mujer que había llegado al límite mismo de su tolerancia emocional y no podía soportar más presión de la que soportaba.

Sin pensarlo ni un instante, Mónica se tiró encima de Beba y con la correa de su cartera le apretó el cuello hasta estrangularla.

Siguió apretando y solamente aflojó cuando la vecina ya llevaba un buen rato muerta y ella misma se había quedado sin fuerzas.

Dejó el cadáver tirado en el pasillo, cerró la puerta, que había estado entornada pero abierta durante todo el proceso de estrangulamiento, y fue al cuarto de su madre, con la cartera en la mano. No sabía si ella podía haber escuchado algo porque no tenía registro del crimen que acababa de cometer: por más que se esforzaba era incapaz de recordar si Beba había emitido algún sonido o alguna señal que pudiera haberla alertado.

Pero la madre seguía tirada en la cama, con la cara prácticamente cubierta por las sábanas, viviendo a pleno su sufrimiento físico y existencial.

Entonces cerró la puerta del dormitorio y volvió al pasillo. Se paró al lado de la vecina muerta y la miró con curiosidad: nunca la había visto en esa posición ni con ese gesto y le pareció una absoluta desconocida. La sujetó por los brazos y la arrastró hacia el cuarto de servicio, que hacía años que funcionaba como depósito de ropa vieja y artículos de limpieza. Abrió un placard, corrió unas perchas, quitó un estante sobre el que había unos cuantos sacos apolillados, y —una vez que hizo lugar— acomodó a Beba. Le tiró encima los sacos apolillados, y cerró la puerta del placard.

Ese día Mónica tenía que rendir un examen en la facultad. Robi, que ya había aprobado esa materia, la acompañó. Sin embargo, poco antes de entrar, ella dijo que se sentía mal y que quería volver a su casa. En el camino pararon en un bar para tomar un té y Mónica le contó que acababa de matar a la vecina. Ni por un momento Robi pensó que se trataba de un chiste. Conocía demasiado bien a su novia y advirtió claramente que decía la verdad.

Mónica le hizo un relato lineal y monocorde de lo que había pasado, como si le estuviera contando una película, mientras Robi calculaba los pasos que sería conveniente seguir.

Ya en la casa Robi fue directamente a la habitación de servicio. La misma Mónica abrió la puerta del placard. "¿Ves? Sigue ahí. ¿Qué vamos a hacer? ¿La enterramos en el patio?"

Robi, que jamás había visto un cadáver de cerca, se sentó en la cama, lívido.

Su novia lo abrazó y le dijo que pensara en algo, mientras ella iba a darle de comer a la madre.

Robi hizo la denuncia esa misma tarde. Le dijo a su novia que iba a hacer un trámite y fue directamente a una comisaría.

Mónica fue detenida, acusada de homicidio simple. Al momento de su detención pidió que la autorizaran para ir al velorio de su vecina. "Pobre mujer. Yo no tenía que haberla matado. De haber tenido mi propia casa, esto no habría pasado: ella seguiría viva y yo no estaría presa... Lo que es el destino... Yo estaba enojada con mamá y la maté a ella".

La condenaron a once años de prisión. Saldrá en libertad a fines de 2010.